［新］詩論・エッセイ文庫⑬

詩学講義

―「詩のなかの私」から「二人称の詩学」へ

川中子義勝

土曜美術社出版販売

［新］詩論・エッセイ文庫13

詩学講義——「詩のなかの私」から「二人称の詩学」へ ＊ 目次

詩学講義——「詩のなかの私」から「二人称の詩学」へ

はじめに

　久しく大学で詩について講義をしてきた。教室では主に、ドイツ文学を宗教詩から世俗詩が生成する過程として述べてきた。文学としての詩は宗教詩の「世俗化」によって生まれる。これはドイツ詩に限らない。社会が宗教的であった時、詩は宗教との深い関わりの内に発生し、その共同体とともに育まれ、これに仕える役を果たした。そこで詩は、審美性とともに倫理性をその特徴とする。倫理性とは、共同性への志向と言い換えられる。だがこの共同性とは、もともとは民衆の意識の底に遍在する現実認識に基づくもので、宗教が成立して、人々を結びつけ、組織化する営みに先だっている。

　ひとは生まれて、成長し、若さの華やぎを迎えるが、やがて体力や容色は衰え、ついに末期の時を迎える。あるいは、栄えの極みにある権威や、愛しあう人の深い結びつきにも、定められたときが限られ、永遠にそれを享受することはできない。——これらの想いは、人みなが抱く素朴な実感であり、宗教や社会の違いを問わぬ共通の認識であった。それは、時の隔たりをも超えて、宗教性の薄れた現在においても日常の現実として訴えてくる。生から老、病を経て死に至る、深刻な実相が身近に迫る。むしろこの実感の方が、宗教の起点を形成するのである。

あるいは、静かに顧みるとき、内容は様々ではあるが、自分の内に生まれる思いは、誰にも相談できるものではない、と気づかされる。自己との対峙も時代を超えた人間の真実である。宗教が求められぬ世俗化の時代においても、このような認識がやはり動機として働き、詩や文学を読み、書く希求を導いてゆく。講義ではこのように述べて、宗教詩と世俗詩の区別を越え、両者の境を貫くものを示唆することに努めている。

人々がともに担うそのような現実を詩人は言葉で表現したが、その言葉は詩人「われ」の言葉であるとともに、共同体「われら」の言葉でもあった。本書の前半では、そのような未分化の状況から、詩人としての独自の自覚が生まれ、育まれていく様子に注目する。時代は移りゆき、果てに、詩の言葉が詩人の「個性」に帰される状況が生じてくる。現在では個性の名のもとに、言葉が詩人ひとりの個の内に閉ざされがちである。そのような状況がどうして生じたか、その閉塞からどのようにしたら抜け出せるか、それが、本書の後半の主題となる。自然や社会がそれ自体の「ことば」を持ち、われわれに語りかけてくる。世界がわれわれの相手として立ち現れる。そのような「二人称」的な言葉の現実に立ち戻ることについて考えてみたい。そのような自覚に立ち、みずからその道を歩んだ詩人たちの志向や「ことば」を辿る。ドイツ文学と関わりの深い日本の詩人を選んだ。

本書の副題は、前半で「詩のなかの私」について、後半で「二人称の詩学」を主題として扱う、という意味である。「詩学」と銘打った古今の著作を繙くとき、語られる内容は実に様々で、共通するのは、詩を廻る考察が述べられていることくらい。本書もまた、そこにひとつの試みを加えるにすぎない。手に取って繙いてくれるあなたが、言葉について、また言葉を介しての社会や自然との交わりについて考える契機を得るために、その一助となれば幸いである。

一、詩の自覚の歴史　――四つの文化圏から

1. 万葉の時代

「詩の自覚」ということ、それは「詩人としての自覚」と言い換えてもよい。それはまた「個性とは何か」という問いにもつながるであろう。四つの文化圏、四つの詩の世界を窺いながら、「詩の自覚の歴史」という主題のもとに一つの共通の相を引き出してみたい。
初めは古代日本、万葉初期の時代。

額田王、近江の國に下る時、作る歌
うまさけ、三輪の山。あをによし　奈良の山の　山の際《ま》に　い隠るまで、道の隈《くま》　い
積るまでに、つばらにも　見つつ行かむを。しばしばも　見放《さ》けむ山を。情《こころ》なく
雲の　隠さふべしや。

（反歌）

三輪山を、しかも隠すか。雲だにも　情《こころ》あらなも。隠さふべしや

右二首の歌、山上憶良大夫の類聚歌林に曰はく、都を近江國に遷す時に三輪山を御覧《みそなは》す御歌そ。

［…］

近江遷都のとき大和の国境、奈良山から振り返り、大和の象徴、三輪山に鎮魂を歌いかけた長歌と反歌。その二首は一体で、反歌は長歌の主題を、雲への呼びかけとして繰り返し、情緒を深める働きをしている。補記には（天智）天皇の歌とあるが、これは額田王が天皇の代作者として三輪山への別れの儀式歌を作ったという謂であろう。三輪山を畏怖する古代的信仰と故郷の山への親しみが二つながら息づいているこの歌は、やはりその二つを等しく感じ取っていた集団の感動を呼びおこし、その感動とともに作者としての額田王の名も留められた。額田王において個の詩的意識はすでに兆しているが、それはまだ集団の統一的感動の内に浴している。

これに柿本人麻呂の歌を並べてみよう。

近江の荒れたる都を過ぐる時、柿本朝臣人麻呂の作る歌

玉襷《たまたすき》　畝傍《うねび》の山の　橿原の日知《ひじり》の御代ゆ、現《あ》れましし　神のことごと　樛《つが》の木の　い

やつぎつぎに、天《あめ》の下　知らしめししを。天《そら》にみつ大倭《やまと》を置きて　あをによし奈良山を越え、いかさまに、念《おも》ほしめせか、天離《あまさか》る夷《ひな》にはあれど、石走《いわばし》る淡海《あふみ》の國の　樂浪《ささなみ》の大津の宮に　天の下　知らしめしけむ、天皇《すめろぎ》の神の尊の大宮は　ここと聞けども、大殿は　ここと言へども、春草の茂く生ひたる、霞立つ春日《はるひ》の霧《き》れる、百磯城《ももしき》の大宮どころ　見れば　悲しも。

（反歌）

樂浪の滋賀の辛崎。幸《さき》くあれど、大宮人の船待ちかねつ

ささなみの滋賀の大曲《おおわだ》。淀むとも、昔の人に　またも逢はめやも

壬申の乱で廃墟となった近江の都を振り返る歌。公の場で献呈挽歌を奉る立場にあった人麻呂の初期の作。内容は地霊への慰安だが、やはり挽歌に近く、天智天皇とその縁の人々への鎮魂を述べる。その述べ方は、神武天皇の代から歌い起こし、国土を治めた系譜に天智天皇をおいて、その遷都の昔と今日の荒涼たる姿をひき比べ、嘆きをもって結ぶ。前半は、叙事的に荘重な修辞（壽詞《よごと》）を連ねることにより儀式歌として場の要求に応え、終わりの三句ないし五句において、挽歌としての公的性格の内に潜んでいた抒情を響かせる。「霞立つ春日の霧れる、百磯城の大宮どころ見れば悲しも」。これはもう一首の短歌である。枕詞など咒詞的な共同体基盤の上に成り立つ公的な修辞から、個性的な抒情が結晶す

る。長歌のそのような様式を人麻呂は確立した。同時に彼はまた、「詩の自覚」において短歌における個の抒情を完成させることによって、長歌からの短歌様式の独立と新たな出発を促し、自ら導いたといえる。

以上、旧い様式の完成と終焉からの新たな様式の誕生、それは、「詩の自覚の歴史」という表題とともに山本健吉の立論に依っている。[*1] 朝廷の儀式が華美壮大になり、その形式化により共同の情緒がかえって衰退すると、長歌は形骸化し終焉を迎える。一方で万葉短歌は、背後に出自としての共同体との唱和を窺わせる故に、長歌の命を脈々と受け継いでいく。しかし短歌の独立は両義的で、その後は個性化の道を突き進むことにより、抒情の冴えは深まるが、共同性と切り離しのゆえに、大きさとしてはもはや人麻呂の域についに達し得ないと山本健吉は述べる。達し得なかったかどうかは別として、個性を導き出すところの共同体の言葉という着目は、詩についての筆者の関心の起点を形作った。

2. ギリシア抒情詩

このことを筆者の今の関心領域、ヨーロッパ文学で検証してみよう。ヨーロッパ文明の二源泉、それはギリシアとイスラエルだが、詩の源として、ギリシアの詩とヘブライの詩を見てみる。ギリシアにおいて、今日の詩の三つの文学類型《ジャンル》、叙事詩・抒情詩・戯曲が生まれた。三者の生起は併行してではなく、連続的な継起である。叙事詩の時代が去って抒情詩が誕生し、抒情詩の響きが止むと劇詩・戯曲が成立した。

抒情詩の典型として、紀元前六〇〇年頃の女性詩人サッポーを引く（復元されたもの）。その抒情詩には個性の萌芽を窺うことが出来る。

ある人は騎兵、ある人は歩兵、はたまた
ある人は軍船を、暗い地上のこよなく
美しいものと言うがよい。だが私は思う、
己が心に愛《いと》しいものこそ最も美しいと。

このことを誰にも納得させるのは
いとたやすい。美しさでは誰にも負けなかった
へーレナさえ夫を見捨てたのだから、
男たちの誰にも優っていたあの男を。

海を渡ってトロヤへ行ってしまった、
子供のことも愛する両親のことも

思わずに。それもそのはず、女の心を
やすやすと誘ったのは
恋の女神キュプリス。女を操るのはたやすいこと、
恋の妄念は女心をすぐと惑わす。
今、恋の女神は遠くにいるアナクトリア
のことを私の心に想い起こさせている。

あの人の軽やかな足どりを、顔の
明るい輝きをこの目で見たいもの、
リューディアー人の戦車や武具に
身を固めた戦士よりも。

（二七、新井靖一訳）

これはホメロスにおけるオデッセウスの次のような言葉を下敷きにしている。

おぬしにはきっと、切り株を見れば作物の出来不出来が判るであろう——〔…〕わしの好みはいつも渝《かわ》らず、櫂を具えた船、それに戦争や磨き抜かれた投槍や矢など、い

ずれも他の者たちが身震いするような兇々《まがまが》しいものばかりであったが、わしにはこれらのものが性に合っていたのだ——神がわしの心に植えつけられたのでもあろうかな。つまりは人それぞれに、楽しむ仕事が違うということだ。（二一八、松平千秋訳）

ともに「どの人も他人とは違った物を喜ぶ」と語っているように響く。違いとは、抒情詩の場合、背後にはっきりと詩人の人格が立ち現れて、自身を個人として表明する点。自己を語る詩人が、自らの生きる現在に関心を持っていることである。感情の琴線に触れる、五感に快いものが価値あるものとされる。そのような個の感性の自覚は共感の新たな人的結合、共同性を導いた。しかし、そうした「詩の自覚」を経たサッポーやアルカイオス、アナクレオーンといった抒情詩人たちは、一方でホメロス的伝統を自らの対照として強く意識している。その個性も、なお個人を超えた神的なものの掌中にあると受け止めている点では、むしろ過去に連なっている。感情の高揚は「寄る辺なさ《アメーカニアー》」（言いようのない無力感）と裏表をなすものといえよう。このような世界観は、現代の詩やその表現と多く共通なものを持っている。「私」という一人称は、その感情において、存在や社会を拘束していたものから解き放たれて自由だと感じている。一方で、自分の現存は、運命とは違うが何か分からないものに囲まれていて、自分ではどうにもならないとも感じざるをえない。

右のギリシア詩の叙述はB・スネルの論考に基づくものだが、スネルは生が顕わな現実の姿で迫る先鋭化した状況はもはや抒情詩の世界ではないと述べ、苦境が命への脅威に転じた時、抒情詩はもう書かれないと言う。[*2] 実際、悲劇の登場とともに抒情詩は響き止む。悲劇は、共同体と拮抗し決断行動する個人を描き出すが、その行為は神話的登場人物に仮託されている場合が多い。そもそも個人の運命が危機に瀕する事態は、はたして抒情詩に終焉を告げるものなのだろうか。

3. エレミヤ告白録

この問いに答えるために、敢えて次にイスラエルに範を取ってみよう。サッポーと同じ時代を生きた預言者エレミヤ（紀元前六二六～五八六）。彼の名の付いた書には「告白録」と呼ばれる一連の記述がある。預言者の言葉は多く詩の形を取っているが、「告白録」も同じである。エレミヤの使命と活動は、民族の命運がいまや尽きていると警告することにあった。だが、ここでは、そもそも預言者の活動への予備知識が要るので、予め少し述べることにする。

古代イスラエルの「十戒」は、日本でいうと憲法に相当するものだが、十戒にも「前文」がある。その前文は十戒の精神を、神の救い、すなわちエジプトからのイスラエルの救済に基づける。「我は汝の神ヤハウェ、汝をエジプトの地その奴隷たる家より導き出せし者なり」（申命記五の六）。そこから安息日（第四戒）の精神は、こう説かれる。その日は奴隷や寄留の他国人など、はた家畜に至るまで自らの手中にある弱い者たちを休ませよと。「汝誌《おぼ》ゆべし。汝かつてエジプトの地に奴隷たりしに汝の神ヤハウェ強き手と伸べたる腕とをもて其処《そこ》より汝を導き出《いだ》したまへり。是《ここ》をもて汝の神ヤハウェ汝に安息日を守れと命じ給ふなり」（同五の一五）。エジプトの奴隷状況からの解放を、社会の下層にまで行き渡らせよとの謂。弱者を顧みる社会、これがイスラエルの神の選びに適う義と愛の精神であるからして、その建国精神を忘れた国は亡ぶ。これが預言者の説いたこと。ところが実際のイスラエル史においては、乳と蜜の流れる地カナンに到達し、そこで農耕が始まると貧富の差が生じ、国内には社会的格差がもたらされた。王国期に入ると、富裕層は宗教的にも上層を形成し、経済的貧しさゆえに律法を守れない弱者を罪人と断罪した。権力者の奢りは国際政治にも映し出され、当時の古代帝国主義のもと、時々の都合で諂いつつ利用する大国を右左と替える「振り子」政治を導いた。

建国の精神を忘れたそのような本末転倒は国を滅ぼす。国際状況の下で審判は外敵として臨む。現にユダ王国は滅亡の危機に瀕している。エレミヤはそのように説いた。しかし為政者や民衆からの応答は嘲笑と脅迫。言葉は侮られ、命をつけ狙われた。聞く耳を持たないのは、彼らが愚かだったためか。実は為政者や民衆にも彼らなりの根拠はあった。かつて王国への移行期に、ダビデの信仰に基づいて与えられた「ダビデ契約」がそれである。ダビデの家は「万世一系」、永遠に絶えることがない。これもまた神の約束とされていたから、ダビデ契約に楯突くエレミヤは、神を畏れぬ「不敬漢」「非国民」と告発された。これに対してエレミヤは、神の契約は神の側から翻ることはなくとも、人の奢りがこれを反故にすると述べた。もとの建国の精神、十戒（「シナイ契約」と呼ばれる）に立ち返れと説いた。しかし聞かれなかった。そのような状況下で、どんな迫害にも怯むことのなかった預言者にも、生身の人間ゆえに疲れて、神が見えなくなった時がある。「告白録」はそんな内面の挫折を赤裸々に披瀝する。

ヤハウェよ、あなたがわたしを誘惑されたので、
わたしは誘惑に任せました。
あなたはわたしを捕らえ、暴行を加えられました。
わたしは四六時中、もの笑いとなりました。
人々はみなわたしを嘲笑するのです！
実に、わたしは語るごとに叫んで、
「暴力と抑圧」と呼ばわらねばならないからです。
というのは、ヤハウェのことばこそ、終日、
わたしにとって非難と嘲りとなったからです。

わたしが「もうこのことは考えまい、
もはや彼の名によって語るまい」と思っても、
ヤハウェのことばはわが心の中で燃える火のようになり、
わたしの骨に留まりました。
わたしは疲れ、
それに耐えることができません！
というのも、多くの人の囁きがわたしの耳に入るのです。
「恐怖が周囲にあるだって！
彼を告訴せよ、われらは彼を告訴しよう！」と。
わたしの友はみな、わたしが倒れるのを窺っています。
「おそらく彼は惑わされるだろうから、
われらは彼をほしいままにし
彼に仕返ししてやろう！」と。…

（エレミヤ二〇章七～一〇節、月本昭男訳）

冒頭「あなたがわたしを惑わした」と神にくってかかる預言者の言葉は、冒瀆すれすれの激しさ（辱められた女の抗議の言葉）。しかしその言葉は、使命からの預言者の破綻を同時に映しだすがゆえに、人間として弱さのどん底に陥った魂の消息をも告げている。精神的に磨り減ってしまった預言者の言葉は、ここでイスラエルの詩の伝統に依って辛うじて発せられている。詩篇という共同体の歌が、エレミヤを危機においてなお支えつづける。「詩篇」（ユダヤ教の讃美歌）は、大きく「讃美の歌」と「嘆きの歌」という二つの類型に区分されるが、ここでエレミヤは自らの経験と内面の呻きを「嘆きの歌」に言寄せる。「嘆きの歌」とは本来、虐げられた者がその経験を祭儀の場で同胞の前に注ぎだし、神に依り頼んで救い出された感謝と讃美を述べる様式。祭儀の場でその朗唱に与る共同体は、詩の経験をともにすることによって、本来の信仰に立ち返り、共同体として再建された。エレミヤの時代、前述のように宗教祭儀は腐敗し、その実質は失われてしまっていた。祭儀の精神が失われたとき、皮肉にも、祭儀の批判者エレミヤだけが独りその担い手として残った。久しく真の担い手を欠き、その意義を失った「嘆きの歌」は、ここでエレミヤの存在を支えることにより、逆にその存立を回復するのである。*3

なおもヤハウェは、恐るべき勇士として、わたしと共に居られる！
それゆえ、わが敵は躓き、勝つことがない。
彼らは何ひとつ獲られず、恥を蒙った。
［…］
ヤハウェに歌え、ヤハウェを讃美せよ！

彼が貧しい者の生命を
悪しき者たちの手から救い出されたがゆえに！
（同一一～一三節）

「嘆きの歌」はその定式どおり、救い出された者の感謝と讃美をもって終わる。だがそれはエレミヤ自身の現実ではない。生涯の終わりに至るまで、彼は拒否と危難に晒された「苦難の預言者」であった。預言者としての破綻をも、彼は心底味わい尽くした。これを自らの真実として偽らず証言するように、「告白録」は歌の末尾になお、数節を付け加える。

わが誕生の日は呪われよ。
わが母がわたしを生んだ日、
これは祝福されてはならない！
［…］
何故、わたしは母の胎から出て、ただ悲惨と心痛に遭い、
わが日々は今恥辱の中に過ぎ行くのか。
（同一四～一八節）

エレミヤは、生涯に一度も自身を詩人と意識したことが無かっただろう。共同体の詩の

精神は、しかしそのようなエレミヤの個によって保たれる。エレミヤの経験は、バビロン捕囚の、国破れて山河も何もなくなってしまった流謫の時を経て、新たな「詩の自覚」と文学類型を生みだした。民族の滅亡と苦難の意義が焦眉の問いとして立ち現れたとき、魂のどん底を偽らず、真実を吐露したエレミヤの言葉は、捕囚期後に成立した『ヨブ記』の詩人によって受け止められる。信仰の人ヨブの説話物語に、生存と苦難の意義を問う論争詩を継いで、ひとつの長編詩を綴った詩人は、すでに明確な「詩の自覚」を持していた。

我《わ》が生れし日亡びうせよ。
男子《をのこ》胎《はら》にやどれりと言し夜も亦然《しか》あれ。
その日は暗くなれ。
神上《うへ》よりこれを顧《かへりみ》たまはざれ。
光これを照らす勿れ。
黒暗《くらやみ》および死蔭《しのかげ》これを取もどせ。
雲これが上をおほへ。
日を暗くする者これを懼れしめよ。
その夜は黒暗の執《と》ふる所となれ。
年の日の中《うち》に加はらざれ月の数に入《いら》ざれ。

［…］
何とて我は胎より死て出《いで》ざりしや。［…］
如何なれば膝ありてわれを接《うけ》しや。
如何なれば乳房ありてわれを養ひしや

（ヨブ記三章三〜一一節）

4．ドイツ・コラール

ギリシア詩はその形式において、またヘブライ詩はその内容においてヨーロッパの詩を深く刻印した。最後に、その典型を示す一例を挙げよう。宗教改革期、マルティン・ルター（一四八三〜一五四六）の個の経験から共同体の新たな詩の様式、ドイツ・コラールが成立する。

「宗教改革」は世界史の転換点として、あまりにも有名な事件だが、本来それはルター個人の内面の密かな「改革」に発する。すでに博士として大学で聖書を講じていたルターに、一五一六年頃、「福音」の現実が新たなものとして立ち現れた。（人間をその行いに従って罰する）神の能動的な「審き」と捉えていた「神の義」（ローマ一の一七）が、実は、（到底義たりえぬ）人間に神が贈る「恵み」であることに気がついた。人間にとってそれは徹底して「受動の義」であると。「神の義の新理解」とも呼ばれるその出来事について、ここではさらにキリスト教とその神学の言葉で述べることはしない。むしろ『三帖和讃』から引く。

浄土真宗に帰すれども
真実の心はありがたし
虚仮《こけ》不実のこの身にて
清浄《しやうじやう》の心もさらになし
（愚禿悲嘆述懐）

親鸞のこの自己認識と嘆きは、ルターの実感でもあったが、彼もまた

他力不思議にいりぬれば
義なきを義とすと信知せり
（正像末法和讃）

と告白するに至る。その意味でそれは「回心」の出来事であった。信仰無き罪人であるがゆえに、「入れものがない両手でうける」（尾崎放哉）素朴な受け身としての信仰。「宗教改革」とはそのような「福音の再発見」を民衆に伝えゆく営みであるが、その方途としてルターは歌と音楽を重視した。

1

キリストは死の縄目に捕らわれたり。[*4]
われらが罪のゆえに渡されたれば。
かれふたたび甦りたまいぬ。
しかしてわれらに命をもたらしたまいぬ。
そをわれら心より喜ばん。
神を頌え、感謝を帰しまつり、
歓呼して歌いまつらん、ヤハの讃えを、
ハレルヤと。

一五二四年に作られた復活節の讃美歌「キリストは死の縄目に捕らわれたり」の冒頭第一節は、一四世紀の手稿にまで遡るという素朴な民衆歌「キリストは甦りぬ」を歌詞、旋律ともに典拠としている。その第二節に、ルターは自らが経験した闇の深みを普遍化して表現した。[*5]

2

人の子らの内にて
死を制しうる者ひとりだに無かりき。

そはすべてわれらの罪のゆえなり。
無辜なる者いずこにも見出されざるなり。
されば死は速やかに迫り来たり、
われらを力ずくにて捉え、
おのが国に虜と繋ぎぬ。
ハレルヤ。

3

神の御子、イエス・キリスト
われらが身代わりとして来たれり。
しかして罪を除きたまいぬ。
これによりて死の手より
権利と威力はことごとく奪われぬ。
かくして死は形のほか何をもとどめず、
死はその刺を失いたり。
ハレルヤ。

第三節には、人の勲によらぬ，もっぱら神の恵みとしてのイエスの代贖《だいしょく》が告げられ、人間存在を捉える「死の刺」すなわち「罪」の無力化が宣言されるが、注目すべきは、その出来事をひとつの戦いとして描く第四節である。

4　げに不思議なる戦いありき。
死といのちと相争いぬ。
勝ちをおさめたるは命にて、
そはついに死を呑みこみぬ。
御書《みふみ》はそを述べ伝えて曰く、
ひとつの死、別なる死を喰らいて、
死は恥辱にまみれぬと。
ハレルヤ。

これは、冒頭第一節の民衆歌の元ともなったラテン語歌を踏まえている。ブルグンドのヴィポ（一五〇〇年頃没）に帰されるその「復活節続唱」は、「死と命と相まみえて／不思議なる戦いを交えたり」とすでに歌っていた。しかし、「命の勝利」を「ひとつの死」が「別なる死を喰らった」と述べるのはルター独自の表現である。キリストの十字架の死が死そのものを滅ぼしたとの謂である。人間存在の危機とその「破れ」を覆う神の十字架、その天地の隔たりが逆説的に「死」の一語に込められる。このとき改革者ルターは「詩の自覚」を得たと言ってよいかもしれない。意味の充塡と感動の凝集により、出来事とこれに接した人間の感動が一度に表現される。その閃光によって、詩は、世界の動態を宇宙的な生死の闘争劇として描く丈高い讃歌の伝統に位置づけられる。その力強さは伝統の讃美歌の枠を踏み越えそうだが、その負荷ゆえにかえって共感の枠そのものを拡大し、質的に深める役を果たしている。これによって、ドイツ・コラールという文学類型が新たに誕生し、その発展の駆力を得ることになるのである。

「詩の自覚」を経て共同体の言葉から個性が輝き出す、一方また、個性の閃きが共同体の言葉へと還元されていく。ルターの復活節歌は「イエス・キリストは『死の死 Todes Tod』なり」というドイツ讃美歌に特有な表現の萌芽ともなった。本稿の初めに、個性とは何かと述べた。現代には個性的なものが充ち満ちているように見える。だがそうした状況の中で、個性とは何かともう一度問い返してみる。他の人との明確な違いが個性なのか。日ごとに移りゆく流行の中で、次々と消費されていく新しさが個性なのか。そのような問いをもって言葉に臨むとき、右に述べてきた四つの例は、それぞれの世界で独自の相を示しつつ、個性の由来をむしろ、共同体との深い関わりの中に指し示す。そうして「詩の自覚」を、時代の伏流として流れる言葉のさらに深い層から求めるように示唆している。

＊1　山本健吉『柿本人麻呂』（新潮社、一九六二年）。
＊2　ブルーノ・スネル『精神の発見』（新井靖一訳、創文社、一九七四年）。
＊3　アルトゥール・ヴァイザー『ＡＴＤ旧約聖書註解20・エレミヤ書』（月本昭男訳、ＡＴＤ・ＮＴＤ聖書註解刊行会、一九八五年）。
＊4　以下のルターコラールは拙訳。
＊5　Hansjakob Becker u.a. (Hg): Geistliches Wunderhorn, Große deutsche Kirchenlieder, München (C.H.Beck) 2001.

二、ドイツ・コラールの成立 ――ルターと宗教改革

1. ライス（中世宗教歌謡）からコラールへ

中世の典礼行事はラテン語で営まれ、民衆は、修道士たちの行う礼拝を訪ねることはできたが、その進行への関与は極めて限定的で、祈りの決まり文句や限られた歌をもって賛意の表明を唱えるのみであった。礼拝での呼びかけに対して民衆の言葉で応じるいくつかの歌詞が生まれたが、それらは結尾の文句キュリエライスにちなんでライスと呼ばれた。ギリシア語キュリエ・エレイソンが民衆の耳に残った響き、キュリエライスが、ライスの語源である（複数形はライゼン）。それらは祝大祭や聖人の祝祭行列、巡礼などの際にその典礼の周縁で用いられた。

前章で、ルター（一四八三～一五四六）の復活節コラール「キリストは死の縄目に捕らわれたり」（一五二四）にふれた。宗教改革の教会共同体のための讃美歌としてこの詩をまとめ

るにあたり、ルターが念頭に置き、参照したのはそのようなライスの一つ、復活節歌謡「主よみがえりたまえり」である。これは一一世紀に生まれ、ノイブルク修道院の一四世紀手稿に初めてその記述が現れる。

キリスト よみがえりたまえり*1
もろもろの苛みを忍びたりしのちに。
そをわれらみな喜ばん、
キリスト われらの慰めとなりたまわん。
キュリエライス。

この歌は、受難週の聖金曜日（悲しみの金曜日）に十字架の仰瞻《ぎょうせん》から始まる、一連の典礼行事で用いられた。受難の出来事を模倣再現するその最後に空虚な墓が示され、修道士たちが「語られたとおり、彼はよみがえった」と歌う合唱に応えて、民衆が「キリスト よみがえりたまえり」とこの一節を歌ったと伝えられる。

このライスはまた、その歌詞や旋律の成立において、一二世紀以降、パッサウのアウグスティヌス派修道僧を通じて広まったというラテン語の復活節続唱「過越節の犠牲の子羊」とも深く関わりがあるとされる。

過越節の犠牲の子羊に
キリストの者こぞりて讃美を奉るべし。

1
子羊は羊の群れすべてを救いたまえり、
罪なきキリスト、罪人なるわれらのために
御父との和らぎを果たす
宥めの供えとなりたまいぬ。

2
死と命と相まみえて
不思議なる戦いを交えたるところ、
命の君、ひとたび死にたまいしが
生きてなお治めたまわん。

[…]

7
われらは知る、死者たちのもとより

キリストはよみがえりたまいぬ、そは真実《まこと》なり。
勝利《かち》を収めたる君、
王なる君よ、われらを憐れみたまえ。

ブルグンドのヴィポ（一〇五〇年頃没）が記したこの続唱の終節を、いわば意訳した内容が、このライスの言葉として定着したものといえよう。

ルターはこの復活節ライスをもとに、前章の4.に示した復活節コラール「キリストは死の縄目に捕らわれたり」の最初の三節を記したが、その際に、自ら経験した「宗教改革的転換」の出来事、ただ神の恵みのみが人に神の義を贈るとする福音を、明確な言葉で言い表した。キリストの十字架は、罪と死の力と権利を無効とする「贖罪」であると。死の暴力に対して勝ち誇る第一コリント一五章五五・五六節が引かれ、「死の刺」が指し示される。「かくして死は形のほか何をもとどめず、／死はその刺を失いたり」。この言葉が、復活の出来事を深く刻み込んだ第四節を導き、この詩の頂点を形作ってゆく（前章の当該箇所、ないしは後掲の全訳を参照）。

第三節から四節へと続くこの箇所の言葉の凝集は、等しくキリストの出来事（十字架と復活）を歌う、ルターの手によるまた別のコラール「いざ喜べ、キリストの者らよ、こぞりて」と比べてみると明らかである。長い詩だが全節を引く。

1

いざ喜べ、キリストの者らよ、こぞりて、
よろこびつつ跳ねおどらん。
かくしてわれらは安らけく、すべてはひとつとなりて
楽しみつつ、慈しみをこめて歌わん。
神のわれらにさし向けたまいしみ業、
彼のうましき奇蹟の業、
そをげに尊くも彼は成し遂げたまいきと。

2

われは悪魔の手に捕らわれ横たわれり、
死のゆえにわれは失われ、
わが罪は夜ごと昼ごと我を苛みぬ。
罪の内にわれは生まれ、
いよよ深まる罪の底に沈みぬ。
いまだわが生に良きものひとつだに見出されず、
罪のみわれに憑きてわれを虜となせり。

3

わが為せる良き業は徒《いたずら》にて、
ひとえに滅びを加うるのみ。
げに自由なる意志は神の審きを憎み、
力尽きはてなば善をなす能わざるなり。
怖れに逐われてわれは望みを失い、
死のほかなにもわがもとにとどまらざれば、
われ暗き黄泉にしずむほかなし。

4

とこしえのみ神、哀れみをもて見たもう、
わが苦しみのあまりに大いなるを。
彼は慈しみのこころにたちかえり、
われを助けいださんとおぼしめす。
げに父のこころをもてわれに向かい、
戯れの想いつゆだにあらずして、
まことにみ力のかぎりを尽くされぬ。

5

彼は語れり、その慈しみたもうみ子に、

いまこそ憐れみの時なれ。
往くべし、わが心の貴き冠よ、
しかして、貧しき者の救いとなり
彼を罪の苦しみより救いいだし、
彼のために辛き死を滅ぼして、
彼を汝とともに生かしめよ。

6

み子はみ父に聴きしたがいぬ。
わが同胞となるべく、
ひとりの美しく清き乙女によりて、
地なるわがもとに来たれり。
彼はそのみ力を隠したまい、
わが貧しき姿にて歩みたまえり。
そは悪魔を捕らえんがためなり。

7

彼宣いけるは、われにとどまりおれ、
いまや汝にことかなうべければ、

われみずからをことごとく汝がために与えん、
かくしてわれ汝がために闘わん、
げにわれは汝が者、なれはわが者なれば、
わが居るところに、汝もまた居るべきなり、
されば仇迫るともわれらを分かつ能わず。

8

彼わが血を流すべし、
加えてわが命をも奪うべし。
そをすべてわれ汝がために忍ばん。
こをしかと堅き信仰にありて保て、
すなわちわが命は死を呑み込みて、
わが無辜は汝が罪を負い、
かくして汝は幸いを得べしと。

9

天のかなた父のみもとに
われこの生《いのち》より去りて赴かん。
かしこにてわれは汝が主《あるじ》となり、

汝にわが霊を遣わさん。
み霊は悩みにあるとも汝を慰め、
汝にわれに見《まみ》えるすべを教え、
かつ真実《まこと》のうちなる歩みを導くべし。

わが為したること、かつ教えしことと
汝すべからくこれをなせ、また教えよ。
これによりて神のみ国は広められ
神の誉れたかく頌めたたえらるべし。
心せよ、ひとの掟に立ち返ることゆめあらざれ。
これ貴き宝をいたく損なうものなれば。
これぞ最後にわが遺しおく言葉なる。

こちらもそれなりに趣のある詩の一編である。ジャンルで言えば譚詩（物語詩）に属すこのコラールで、父と子の対話を含む形で述べられる人間の悲惨と救出のドラマは、復活節コラール「キリストは死の縄目に捕らわれたり」では、彫琢された数節に結晶している。物語詩の第二節、三節に描かれる、連帯した「死・罪・悪魔」の手に捕らわれた「われ」

の苦境、またその絶望的悲嘆、また第四節以下に神の内なる対話として描かれる父子の決断と敢行は、復活説コラールでは、その第二節～第四節の三節に縮められ、「われら、人の子」に備えられた人類的な救済の出来事として神学的に表現されている。「神学的に」と述べたが、言い換えれば「構造的に」の謂である。いま一度、この復活節コラールを、今度は全節を引く。ドイツの教会礼拝では会衆によって通して歌われることはないが、詩を一つのまとまった作品として検討するために、その全体像を提示する。

1　キリストは死の縄目に捕らわれたり。
われらが罪のゆえに渡されたれば。
彼ふたたび甦りたまいぬ。
しかしてわれらに命をもたらしたまいぬ。
そをわれら心より喜ばん。
神を頌え、感謝を帰しまつり、
歓呼して歌いまつらん、ヤハの讃えを、
ハレルヤと。

2　人の子らの内にて

死を制しうる者ひとりだに無かりき。
そはすべてわれらの罪のゆえなり。
無辜なる者いずこにも見出されざるなり。
されば死は速やかに迫り来たり、
われらを力ずくにて捉え、
おのが国に虜と繋ぎぬ。
ハレルヤ。

3

神の御子、イエス・キリスト
われらが身代わりとして来たれり。
しかして罪を除きたまいぬ。
これによりて死の手より
権利と威力はことごとく奪われぬ。
かくして死は形のほか何をもとどめず、
死はその刺を失いたり。
ハレルヤ。

4

げに不思議なる戦いありき。
死といのちと相争いぬ。
勝ちをおさめたるは命にて、
そはついに死を呑みこみぬ。
御書《みふみ》はそを述べ伝えて曰く、
ひとつの死、別なる死を喰らいて、
死は恥辱にまみれぬと。
ハレルヤ。

5

ここにまことの過越の子羊あり。
そは神の備えたまいしものにて、
十字架のうえにて、
熱き愛の炎にて焼かれぬ。
その血われらが扉に塗られたり。
信仰　そを死のまえに掲ぐるとき、
滅ぼす者われらに触るる能わざるなり。
ハレルヤ。

6

かくしてわれらこのたかき祭を言祝《ことほ》がん、
心よりの喜びと楽しみをもて。
そは主のわれらにたまいしものなり。
主はみずから太陽となりたまい、
その恵みの輝きをもて、
われらが心をくもりなく照らしたもう。
罪の夜は過ぎ去りぬ。
ハレルヤ。

7

われらは食らい、健やかに生きん、
まことの過越のパンを。
かの古きパン種
恵みのみ言葉に混じり入るべからず
キリストみずから食物となりたまい、
ひとり魂を養いたもう。
信仰の生くる糧ほかにあらざれ。

ハレルヤ。

第三節で、死の力、その「刺」の喪失を述べた後、ルターは、第四節を、ヴィポの復活節続唱（前掲）の「死と命と相まみえて／不思議なる戦いを交えたり」に触発されて、新たに「死と命の戦争」として記す。ただし、ヴィポが「命の君、ひとたび死にたまいしが／生きてなお治めたまわん」と述べるくだり、対応するルターの言葉は極めて過激である。その形象は、第三節と同様、まずは第1コリント一五章から導き出される。その五四節に「死は勝利に呑まれた」とある。しかしこれに続く「死が死を喰らった」という言葉のたたみかけはルター自身のもの。意味の整いを破裂させる言葉の強さ。これは庶民の口に発せられる悪態そのものであり、敵に対する兵士の勝ち誇りに近い。その響きには、ふつう我々が想定する讃美歌の整いを破綻させるほどの勢いがある。前章で「詩の自覚」と述べたが、ルターの言語感覚が聖書の言葉に響き合い、そのもともとの力強さを極限にまで引き出している。

第五節以降、ルターは「生の勝利」の現実をさらに詳しく描き出していく。聖書の引照を重ねたその表現は、復活の出来事が民衆の日常生活に持つ意味を旧約、新約聖書に照らして説き明かす。第五節では、旧約のイスラエルにおける共同体形成の出発点となった「出エジプト」の出来事が、新約の共同体の出発点としてのイエスの十字架の出来事に重ねられる。エジプト全土に生ける総ての長子、初子を戮した神の「過越」において、イスラエルの民は、その戸口に塗られた「仔羊」の血によって免れ、その出立を導かれた（出エジプト一二章）。これと同じように、イエスの贖いの血が、罪と死の支配からの脱出を導くと述べられる。

また第六節の祭りの祝いの場面に続く第七節では、急なエジプト出立のゆえに携えたパンに酵母を入れる余裕がなかったという故事が、除酵祭の起源となったことが示唆される。同じように、「恩恵のみ」の福音に立って再出発する新約の共同体も、「功徳を積む行い」という不純な「パン種」に逆戻りして、これを「信仰」に交えることが無いように、「純粋で真実なパンで祭りをしよう」と説かれる（第一コリント五の七）。さらに、祭りの主として「命のパン」キリストが指し示される（ヨハネ福音書六の三五）。

このように述べてくると、これらの詩節は神学的に構成された難しい思想詩のように受け止められるかもしれないが、その言葉自体は、具体的で印象鮮やかな形象で成り立っている。旧約・新約の時代の隔たりをこえた出来事の呼応には、「予型」という聖書特有の言葉の秩序が込められているが、そうした聖書の「詩学」に精通していなくとも、示されている言葉の視覚的イメージは、聖書の言葉自体の平易さで明らかである。聴覚を通しても容易に把握でき、困難を覚えずにすむのは、詩の全体がライスの敷衍としてその延長上に形作られているからであろう。

「キリストは死の縄目に捕らわれたり」においてルターは、過越祭・除酵祭の形象を復活節の予型像として用いて、復活祭、すなわち新約聖書の（また宗教改革の）共同体を導いた出来事を祝うこの祭りは、旧約聖書の共同体のそれを成就するものと説き明かす。このようにルターは、知的に諭す説教だけではなく、美的な詩（や歌）もまたそのような説き明かしに与り、重要な役割を果たすものと見なした。その際に、民衆の親しんだ中世以来のライス、またそれに結びついた共同体の敬虔が、予型の成就を迎える素地や土台を形作るものとして用いられた。

ルターは、『ヴィッテンベルク歌集』（一五二四）の序文にこう述べている。「かくしてわれわれもまた、出エジプト記一五章で、モーセが彼の歌で告げたように誇らかに歌うことができる。キリストこそは我らが讃美の歌なりと」。モーセの「海の歌」は後に旧約聖書の共同体において詩篇が成立する先駆けとなった。宗教改革の讃美、今や出立しようとしているドイツ・コラールそのものが、旧約詩篇という予型の成就と見なされている。

2. コラールにおける「われ」と「われら」

（1）「深き困窮の淵よりわれは」

コラールにおける「詩的主体」の一人称について考察してみよう。前節に引いた「いざ喜べ、キリストの者らよ、こぞりて」は、これに先行するラテン語続唱やドイツ語ライスなどの典拠がなく、ルターの自由な創作とされているが、それだけに物語的・戯曲的な進行の中にルター個人の深い経験を窺わせる詩句が折り込まれている。その人称に関しては、第一節にのみ「われら」を用い、第二節からは、物語詩の中に「われ」の告白を位置づける。これに続いて、神の内なる「父と子」の対話、さらにキリストの「われ」に対する語りかけへと展開してゆく。その救いの出来事を受けて、もう一度、詩の全体を振り返ると、救いは独り「われ」のみに止まらぬ不変の現実として、第一節の「われら」の讃美が説得的な響きをもって回帰してくる。

そのような人称の転換は、ルターコラールの起点をなす「深き困窮の淵より」にも見られる。ルターは讃美歌創作の初期に、七つの悔改詩篇の一つ、詩篇第一三〇篇「深き淵より」の有節詩形へのパラフレーズを試みた。その際に自らの「神の義の新発見」、すなわち「人の功績に依らず、ただ恩恵として与えられる神の義」を、詩の言葉の内に巧みに織り込んだ。深き淵より叫ぶ「われ」に贈られる信仰のみが人を神の前に立たせ、神を仰がせると。

深き困窮《なやみ》の淵よりわれは汝に叫ぶ、

神よ、わが呼ぶ声を聴きたまえ。
憐れみもて汝が耳をわれに傾け、
そをわが求めのために開きたまえ。
げに、為されたる罪と不義とに、
汝ひとえに目をとめたもうとあらば、
誰が、主よ、御前に止まることをえんや。

汝には他ならぬ恵みと憐れみとありて、
もろもろの罪をゆるしたもう。
しかるに、われらの業はむなしくして、
そのさまはいかに優れたる生《いのち》なるとも異ならず。
汝がみ前にては誰ひとり誇ることをえず。
さればいかなる者も汝を畏れ
ただ汝が恵みによりてこそ生くるなれ。
されば我ただ神にのみ望みを抱き、
わが功績《いさおし》にそを基づくることをせじ。

神にのみわが心はおのれを委ね、
ただそのかぎりなき恵みにのみ依り頼む。
そをわれに約束せしは彼の貴きみ言葉にして、
わが慰め、わが揺るがぬ避けどころなる
み言葉をこそわれつねに待ち望むなれ。

たとえこと長らえて夜の深更《ふかき》に及び、
ふたたび朝をむかうるとも、
わがこころ神の御力にかけし望みを失わず、
つゆにても憂いを抱かざるなり。
かく為せる者ぞ真実《まこと》のイスラエルなる。
み霊によりて生まれし者なれば、
ただその神にこそ依り頼むなれ。

われらが罪いかに大いなるとも、
み神のめぐみぞいやまさりて大いなる。
み手を助くると自惚るるは益なくして、

いたずらに損ないを己《おのれ》に加うるのみ。
ひとり神のみ良き羊飼いにいまし、
イスラエルをそのもろもろの罪より
救い出して導きたもう。

ルター自身の魂の経験として「われ」が告白するこの「内なる宗教改革」の出来事は、詩の末尾において、(「イスラエル」に呼びかける詩篇一三〇篇のテクストに呼応して)「宗教改革の共同体(真のイスラエル)」への訴えを導き、やはり「われら」の告白へ移行して終わる。*2

このような「われ」と「われら」の関係は、もともと旧約聖書の詩、殊にその「嘆きの歌」の類型においてしばしば見られる形であった。その内容は、主として病や苦難に対する嘆きであったが、その苦悩は(しばしばそれが神の裁きと見なされたがゆえに)共同体から疎遠となった立場に起因し、その回復を訴えるものであった。神殿において朗唱された「嘆きの歌」には、それゆえ祈り手「われ」の困窮を直截に訴える部分に、苦難から回復された喜びと感謝(さらには神讃美)を述べる言葉が付されることがある。これは、自らの経験した救いを(再び許された共同性に基づいて)神殿に集う会衆に伝え、身に覚えのあることとして「われら」の神の救いを宣べる働きをした。

「われら」の神は救いの神であるという信仰告白が、神殿における個人の信仰体験の披瀝（奉納される詩篇の朗唱）を経て、再び「われら」の経験として新たにされる。「われ」の経験が、「われら」の信仰を更新する契機となる。聖書の詩に限らず、信仰詩における一人称「われ」と「われら」の関係は、総じてこのような循環の内にあると言えよう。宗教改革の共同体の詩としてのドイツ・コラールもまた、そのような「われ」と「われら」の関係性を志向する。

ルター個人の深い信仰経験に基づく「恵みとしての神の義」「恩恵としての信仰」は、宗教改革の信仰共同体を形成していく核心をなした。これを民衆のものとするために、ルターは詩の面でもまた音楽の面でも、多様な途を模索してゆく。右の「深き困窮の淵より」を典型とする旧約詩篇（他に詩篇第一二篇、一四篇、六七篇、一二四篇、一二八篇）や聖書テクスト（十戒本文、ルカ福音書二の二九〜三二）のパラフレーズが、その第一の途である。他にも、アンブロジア聖歌やフスに帰される詞など既存のラテン語聖歌の翻訳が試みられた。

さらに前章で扱ったように、すでに民衆の讃美として存在したライスもまた取り入れられた。復活節のコラール「キリストは死の縄目に捕らわれたり」は、受難と復活の出来事を極めて凝縮した形で表現し、宗教改革の信仰の根幹を民衆に伝えようとする。その一人称としては「われら」が貫かれているように、共同体の信仰告白としての性格は明白である。しかし、この「われら」の歌は、もともと「キリストはよみがえりぬ」というライスを下敷きにし、民衆の言葉としての「われら」に寄り添う仕方で、民衆の信仰告白を醸成しようとする。

他にも、「いざわれら聖霊を求む」「み神ぞ頌め讃えまつらるるべき」「頌めたたえられよ、イエス・キリスト」「父なる神よ、われらに臨み」などのコラールがライスを源とするが、いずれもライスの担う共同性への注目から、ドイツ語の讃美に移されたものである。

(2)「われらを光の子らとなしたもう」

いま一つの例として「頌めたたえられよ、イエス・キリスト」を検討してみよう。詩としての全体像を提示するために、やはりコラール全節の訳を予め示しておく。

1　頌めたたえられよ、イエス・キリスト、
汝は人となりて生まれましぬ
ひとりの乙女によりて、そはまことなり。
群れなすみ使いどもそを喜びてうたう。
キュリエライス。

2

とこしえの父のひとり子、
いまや馬槽のなかに見いだされぬ。
われらの貧しき血肉を
とこしえの富ぞ身に負いたもう。
キュリエライス。

3

世を悉く輪に結ぶとて容るる能わざる者、
マリアの懐に眠《い》ねたもう。
ひとり万物を保ちたもう御方、
小さき嬰児となりたまいぬ。
キュリエライス。

4

ついにとこしえの光射しこみて、
世に新たなる輝きを与えたもう。
そは夜のただ中にかがやきて、
われらを光の子らとなしたもう。
キュリエライス。

5
父なる神の本性を持する長子、
この世の客人となりぬ。
嘆きの谷よりわれらを導き
彼の広間の世嗣《よつぎ》となしたまえり。
キュリエライス。

6
彼は地上に貧しき姿にて来たれり、
われらをいたく憐れみて
天にて富める者となし
天使に等しき者となしたまえり。
キュリエライス。

7
彼そをことごとくわれらがためになしたまえり、
彼の大いなる愛を証しせんとて。
そをキリストの者たちこぞりて喜び、
とこしえにそを彼に感謝したてまつる。

キュリエライス。

一読して明らかなように、これは降誕祭のコラールである。降誕祭の讃美歌としてはルター自筆稿の遺る「高きみ天よりわれは来たれり」の方が知られているためか、日本の讃美歌集に収められてはいないが、これもルターのコラールのうちで最も重要なものに数えられている。その第一節は、宗教改革以前に存在していた次のようなライスが僅かに改変して採用され、続く六節を加えた右の詩へと拡大された。

頌めたたえられよ、イエス・キリスト、
汝は今日生まれましぬ、
ひとりの乙女によりて。そはまことなり。
天に群れなすものどももこぞりてそを喜びうたう。
キュリエライス。

こちらは低地ドイツ語で書かれた一四世紀の手稿が残されている。他のライス同様、九世紀以来発展してきた祝祭日用続唱との結びつきで生まれたもので、次のような一一世紀のラテン語降誕祭続唱がその元とされる。

われらこぞりて高らかに感謝を
主なるわれらが神に宣べまつる。
彼の生誕によりてわれらを、
悪魔の権能と威力より解き放ちたまいければ、
み空高く恒に讃えを歌うみ使いたちとともに
われら喜びみ神に歌いまつる。

ここに描かれているのは、「天に栄光、地に平和を」と歌う天使の合唱に、羊飼いが和して歌うその場面である（ルカ二の一三以降）。「彼の生誕」は地上の支配・服従関係を覆し、サタンの支配の内に囚われた者を解放する。「地に平和」とは、そのような新たな自由を意味していよう。ドイツ語ライスの方は、もう少し素朴に、民衆の信仰に近いことばで歌われている（例えば、乙女マリアへの言及）。「汝は今日生まれましぬ」の一節は、天使の告知の言葉（「今日ダビデの町にて汝らの為に救主うまれ給へり」）を、やはり素朴に受け止めている。

ルターは古いライスをコラールの冒頭にほぼ文字通り採用したが、「汝は今日生まれましぬ」を僅か一語改めることによって、第一節の全体に思想的に深く充塡された相貌を付与した。「今日 hude（＝現代語の heute）」の一語を「人となりて Mensch」に置き換えることによって、「受肉」の出来事が示唆される。この言葉はさらに、第二節の「とこしえの父のひとり子」が「われらの貧しき血肉を負う」というフレーズを導いてゆく。これはピリピ書二章七節の「僕の姿」に通じ、神学の術語で言えばキリストの「神人両性論」を表す言葉である。これに続く全詩節が、「神にして人」というキリストの本性を言い表す。「父なる神の本性」を持し「とこしえの富」を担う者として全世界よりも更に大いなる存在であり、むしろ世界を内に収め「万物を保つ」存在であるキリストが、「小さき嬰児」として「馬槽のなかに」「マリアの懐に」眠ると。詩はさらに、キリスト論を救済論へと方向づける。キリストが「地上に貧しき姿で」来たのは、「われら」を「天にて富める者」となさんとする「愛の証」であったと。これを受けて喜び、感謝する「われら」「キリストの者たち」の讃美が、第一節冒頭の「頌めたたえ」へと回帰してゆく。

全七節の中央に位置する第四節には、さらに別の形象が織り込まれている。「とこしえの光」が射しこみ「夜のただ中に」輝いている。光の形象は降誕節の場面に親しい。ルカ福音書は、羊飼いの見た光の他にも、老シメオンの歌「異邦人の光」を語り、マタイ福音書には三博士を導くベツレヘムの星が出てくる。「とこしえの光」はさらにヨハネ福音書冒頭の「世の創めのロゴス」をも指し示す。その命は人の光であり、光は闇の中に輝いていたが、闇はこれを解さなかった。しかし受けた人々は「光の子」とされ「世の光」として立てられた、云々と（ヨハネ一章、一二章三六節）。「そは夜のただ中にかがやきて、われらを光の子らとなしたもう」。光の形象もまたこのコラールにおける讃美の主体を「われら」とする。光は、広く救済のメタファーとされてきたが、この文脈で、比較として宗教改革急進派トマス・ミュンツァーの『ドイツ語宗務』（一五二三）に言及しておくことは意味があろう。これは、ラテン語讃美のドイツ語訳一〇編をルターに先立って刊行したもので、ルターに讃美歌創作を急務と自覚させたが、ルターの対処は先を越されたという競争意識からの動機に発するものではなかった。『ドイツ語宗務』に収められたハンス・フート「われらこぞりて心より歌わん」の一部を引く。同じく降誕祭の歌であるが、その第三節。

われらが心の奥底に光を灯せ、
かくしてわれらに救い主の告げ知らされんことを、
かくしてわれら汝とともに新たに生まれんことを
汝がみ業の失われずとどまらんことを。

ルターのコラール同様「われら」が語られるが、光は「心の奥底に」求められている。ルターは彼ら、宗教改革急進派の人々を「天来の預言者たち」と揶揄しているが、神秘主義的解脱を説くその志向には、（身体の修行ではないが）心性の練達を目指すことによって福音を再び功績主義に逆戻りさせる契機が胚胎されていた。これは讃美を少数の狭隘な「われ」の内に隔離しかねない。その「われら」は解脱した精鋭たちの結社となる。一方、ルターのコラールにおいては、「光は夜のただ中に」輝いている。その光はあくまで外から人のもとへ、世界の外から世界の内に差し込んでくる。ルカ福音書において羊飼いが仰ぎ見た光は、民衆が素朴に抱く光のイメージであり、ルターのコラールはその人々と「われら」をともにしている。同時にその像は、「外から与えられる」信仰という福音の受動性（宗教改革の核心）をも語り出している。

＊1　以下、本書の詩の訳は、訳者が明記されない限り、拙訳。
＊2　本章で扱った内容は、以前に別な観点から述べたことがある。川中子義勝「ルター讃美歌の生成」（『詩人イエス――ドイツ文学から見た聖書詩学・序説』教文館、二〇一〇）

三、ドイツ・コラールの展開 ――ヘールマンとゲルハルト

1．三十年戦争の時代

（1）「おお神よ、汝　慈しみに充てる神よ」

「われら」の信仰告白が個人「われ」の信仰経験をとおして深められ、これが共同体に還元され、「われら」の信仰を更新する、と前章で述べた。「われ」と「われら」の間には循環があることを指摘したが、ルターにおいては、自らの個的な経験を単数一人称「われ」に託しつつも、福音を（万人が共にしうる経験であるがゆえに）宗教改革の共同体の信仰告白として根付かせるべく、「われら」の讃美の側面が比較的前面に押し出される。ルターの訴えに応じて、讃美歌創作に勤しむ詩人たちが、ドイツ・コラールの系譜を形作っていくが、彼らもまた、「われ」と「われら」の関係性の間に息づき、その循環のダイナミズムを示しつつ、実作においては「われら」の詩の刻印を強く残していく。ルターの同時

代からは、N・デーツィウス（一四八五～一五四六）の「おお神の子羊、罪なくして」（一六三二）、J・ヨナス（一四九三～一五五五）の「主なる神、われらとともにいまさずば」（一五二四）など、題名からも明らかである。P・シュペラトゥス（一四八四～一五五一）の詩「救いのわれらに来たれるは」（一五二四）の冒頭第一節を引く。

救いのわれらに来たれるは
ひとえに恵みの賜物なり。
ひとの業もはや助けたり得ず、
また護る能わざればなり。
信仰ただイエス・キリストをぞ視る、
彼われらがために総てを果たし、
御神への仲保者となりたまえり。

このような「われら」の信仰告白がルター派正統主義のコラールの典型といえよう。この状況に、変化が現れるとしたら、例えば次のような事例である。ヨハン・ヘールマン（一五八五～一六四七）の「おお神よ、汝　慈しみに充てる神よ」を引く。

1

おお神よ、汝　慈しみに充てる御神よ、
もろもろの賜物の溢れ来たる泉よ、
汝いまさずば、ありとしあるものはみな虚しきなり。
汝によりてわれらはすべてを恵まるるなり。
さればわれに健やかなる体を与え、
かく守られし体のうちに、
汚れざる魂と
浄《きよ》き良心とを宿らしめたまえ。

2

願わくば、わが為すべきことを、
汝の命じたまいしままに、
わが立処《たちど》にて励み
心して果たすべくわれを導きたまえ。
願わくば、われをして為すべき時を逸することなく、
速やかにわざを行わしめたまえ。
またわが行う時にありては、
すべからくことを遂げさせたまえ。

3

日頃わが語るところの、
うつろい動ずること無きよう助けたまえ。
あだ言の一言たりとて
わが口より出ずること無きよう恵みたまえ。
また願わくば、ひとに説き伝うること
わが務めとあらば、
力と重みある言葉を
弛むことなく語らしめたまえ。

4

よし危難の迫り来るとも、
われをして臆すること無からしめたまえ。
丈夫《ますらお》の心を与え、
おのが十字架を担い行かしめたまえ。
願わくば、われ敵を鎮めるときも
柔和の心もていたずらに勝ち誇ること無きよう、
またことを謀る機会《おり》あるとも

道を外るること無きよう導きたまえ。

5

いずれの人とも友となりて、
キリストの徒としてふさわしく
われを和ましめたまえ。
汝　わがうえに富と財、はた金を
顧みて積み給うときにも、
これに不徳の富の
混じりいること無きよう
恵みに与らしめたまえ。

6

われこの世にありて
齢《よわい》を重ねつつ勤め、
いくたりの辛き歩みを重ね
ついに老いの時へと迫りゆくとも、
堪え忍ぶ心を与え、われを罪より
はた恥ずべき行いより護りたまえ。

かくして霜おきしわが髪を
誇りをもて担い行かしめたまえ。

7

われ世を去りゆくとき
わが末期《おわり》をキリストの死に合わせたまえ。
わが魂を取りて
汝《な》が悦びへと受け入れたまえ。
わが体には慎ましきひと所を
父祖たちの墓所に恵みたまえ。
かくしてかの人々の傍らにて
その安らぎを得さしめたまえ。

8

汝　終わりの日に
死せる者たちを目覚めさせたもうかの時、
願わくば、顧みて汝が御手を
わが墓にも伸ばしたまわんことを。
汝が御声を聞かせ、

わが朽ちし体を甦らせ
新たなる麗しき姿に変えて
選ばれし民のもとへと導きたまえ。

ヘールマンは三十年戦争期の代表的な詩人の一人。今日、日本でその頃の詩にふれる機会は少ないが、彼の詩には比較的容易に接することができる。J・S・バッハが、その両大曲『ヨハネ受難曲』また『マタイ受難曲』で、しかも、いずれにおいても導入合唱に続く最初のコラールとして、彼の詩「心より慕いまつるイエスよ」の一節を配している。ヘールマンの詩をバッハがいかに重んじたかが分かる。

ヘールマンはシュレジア（現ポーランド領）ラウテンに生まれた。両親は、彼の教育に力を注いだが、病弱な体質ゆえに学びはしばしば中断した。一七歳の時、フラウシュタットのV・ヘルベルガーの庇護を受けた。町がカトリックに改宗した際に、自宅を礼拝の場とし（「キリストの馬槽」と称した）一円の人々の心の拠り所となったこの先達は、彼の生涯と詩作に強い影響を与えた。ヘールマンも早くから詩文を綴る才能に目覚め、一六〇八年には、二三歳の若さで桂冠詩人の称号を得ている。一六一一年ケーベンの牧師補に、翌年には正牧師に任ぜられる。同年に故郷から迎えた妻ドロテアとともに町の人々に仕えたが、幸福な時期は短かった。一六一三年シュレジア全土でペストが蔓延。一六一六年にはケーベンが大火で町の大半を焼失。一六一七年にはドロテアが亡くなり短い結婚生活は終わった。三十年戦争（一六一八〜一六四八）が勃発すると、一六二二年、二三年に町は皇帝軍の略奪を受ける。二九年には、対抗宗教改革を自認したリヒテンシュタインの竜騎兵がシュレージエンに侵攻、聖職者を追放し民衆に改宗を強要した。この間、彼は一年半近く身を隠さざるをえなかった。一六三二年、皇帝の傭兵将軍ヴァレンシュタインが侵攻してきた際には、その間に再婚していた妻や子らとともに脱出したが、追っ手に迫られて川を渡る際に、銃弾が首筋を掠める経験をしている。危難は逃れうるものばかりではなかった。病は生涯離れず、リューマチや喉の病のため、説教は牧師補の代読に委ねねばならぬ状態だったが、その筆記から刊行された説教集や黙想集は人々の慰めでありつづけた。一六三一年に再来したペストは、人口一〇〇〇人ほどの町で五五〇人もの命を奪い、彼の助力者だった牧師補もこの時亡くなっている。ヘールマン自身、戦争の終結を待たずして世を去ったが、苦しみ多き生涯のゆえに「シュレジアのヨブ」と呼ばれた。

三十年戦争は、しばしば宗教戦争と称されるが、実質は後進ドイツの地の支配権益を狙うフランスや神聖ローマ帝国、また北の大国スウェーデン間の勢力争いであった。戦渦のために人口が激減し産業も壊滅するなかで、民心の倫理的頽廃も著しかったが、その中でも心ある人は、寛容と平和を願い、生きた信仰の姿を求めた。この詩の詩人「われ」も、信仰告白の大義よりは、むしろ個々人の具体的な生の局面に注目する。世に溢れる憎しみや罪・死・悪に対して自らを無とし、死に渡して、人に命と喜びを回復してくれる真実の神に呼びかけ、そのもとへと逃れゆく。第一節は、総ての恵みが神から与えられると述べ、「さればわれに健やかなる体を与え、／かく守られし体のうちに、／汚れざる魂と／浄き良心とを宿らしめたまえ」と歌う。第二節以下、「労務」「言葉」「危難への対処」「交友と営利」「老年」「末期」「復活」「頌栄」と、詩は「われ」の人生全般に亘る。「われ敵を鎮めるときも／柔和の心もていたずらに勝ち誇ること無きよう」にと。また「汝　わがうえに富と財、はた金を／顧みて積み給うときにも、／これに不徳の富の／混じりいること無きよう／恵みに与らしめたまえ」と。今の時代にも心に染みいる言葉と響きである。バッハは青年時代に、頌栄を加えて全九節のこのコラールを九曲から成るオルガン・パルティータとして作曲した（BWV767）。深い瞑想を緻密な構成で連ねた曲である。また、カンタータ第二四番『まじりけなき心』をヘールマンのこのコラールで結んでいる。バッハにとって三十年戦争は祖父の時代のもので、その記憶は彼にとってまだ新しかった。バッハにとっても、罪や禍に溢れた世界からの脱出は、人の心・魂の真実を回復する神の真実に望まれていた。

（2）「馬槽のかたえにわれは立ち」

いまひとつの例として、パウル・ゲルハルト（一六〇七〜一六七六）の「馬槽《まぶね》のかたえにわれは立ち」（一六五三）を引く。これまでのようにまず全節を提示する。

1 われこれに立つ　汝が馬槽《まぶね》のかたえに、
吾子《あこ》イエスよ、わがいのちよ、
われ携えきたりて、きみに贈る、
きみみずからわれに賜いしものを。
受けたまえ、これぞわが霊　わが想い、
わが心　わが魂《たま》　わが意《むね》なる、すべてを
取りて　み心のままに嘉したまえ。

2 きみその愛をもて満たしたまいぬ
わが血潮　わが血脈を。
きみが麗しき輝き、可愛ゆき寝姿ぞ
わが想いの床に身を伸べて溢るるばかりなる。
ほかに如何ようにありうべき、
いかなればわれ　わが心の主　きみを
わが心より逐いやるをえんや？

3

われいまだ世に生まれざりしとき、
きみ　わがために生まれ
いまだきみを知らざりしわれを
選びたまい、きみがものとなしたまえり。
われきみがみ手によりて造らるるに先だちて、
きみすでに心をくだきたまえり、
如何にしてきみをわがものと為したもうかを。

4

われ死の夜の底ふかくありしとき、
きみはわが陽《ひ》にいませり、
陽のわれにもたらしけるは
ひかり、いのち、よろこび　また歓喜。
ああ　陽よ、そは貴き
信のひかりをば　わが内に掲げたまいぬ、
きみより射しこめるひかりぞ如何に麗しき。

5
われ喜びをもてきみを視つめ
眼をとめて　見飽くることあらじ、
ほかになし能うことあらざれば
わが為すは、ほかならぬこれのみ。
ああ　わが想いの深き淵のごとく
わが魂の広き海のごとくあらば、
きみを容れて抱きまつらんものを！

6
許して恵みたまえ、吾子イエスよ、
きみが小さき唇《くち》に口づけるを、
その小さき唇に、甘き葡萄の酒を、
かつまた旨き乳や蜜の滴りを
はるかに凌ぐほどに　力ぞ漲る。
そは溢れて身を慰め、奮い立たせ、また潤わして
骨の髄までふかく健やかとなしたもうなり。

7
ときにわが肉の心　涙に濡れて

慰めを見出さざるときあれども、
きみわれに呼びかけて、告げたもう、
われこそ汝《な》が友なる、汝が罪をほろぼす者なれ。
されば汝《なれ》、わが弟よ、何の悲しむことあらんや？
まことこころ安くあれ、
われこそは汝が負いし咎を償うものなれ。

8

何処《いずこ》に画《え》の名手ありて
これなるすべてを相応しく描き、
われに笑みかけ差し伸べられたる
吾子の小さき手を写すをえんや？
この小さき手の耀くところ、
いかに雪の明るく、乳の白くあるとも、
ふたつともどもに映えはいろ褪するなり。

9

われ何処より智恵また知識をとりて、
たかく声を上げえんや、

逸らさずわれにしかと向けられたる
この小さき眼《まなこ》を頌《たた》うる讃美の声を？
満ちたる月の麗しく澄み、
麗しくあまたの星々　黄金《こがね》に瞬くとも、
この小さき眼ぞはるかにまさりて麗しき。

10

願わくは、優しき星ひとつ
馬槽のうちに置かれんことを。
地の大いなる主《あるじ》どもの貴き子らに
あてがわるるは黄金の揺り籠。
ああ　この小さき子を横たうるに、
干し草に藁の寝床はあまりにつましく、
天鵞絨、絹、紫の衣こそ相応しからざれや。

11

藁を除き、干し草を除《の》けよ。
われわが花々を取りて来たらん。
わが救い主の寝床ぞ

菫の花のうえに設えんこそ似つかわしけれ。
薔薇、撫子、迷走香《ろすまりい》の花を、
麗しき庭より取りて
上より蒔き散らさん。

12

脇にはそこかしこに添えて
白き百合花をあまたほどこさん。
そは眠りおる吾子の小さき両の眼に
やさしく覆いてかからん。
されど、わがこれにて想いかつ名指す、
すべてにまさりてこれなる小さき吾子は
枯れたる草をはるかに好ましとなしたもう。

13

きみ世の快楽《けらく》をたずねたまわず
身を喜こばすすべを求めたまわず。
心に懸けたるはただわれらのため、
われらに代わりて苦しみを受くべく

ただわが魂の栄えるすべを求め、
惨《いたま》しき貧人《わびびと》の途を忍びて往きたもう。
身に余るとなせども　われそを止むるあたわず。

14

ただひとつわれ望みを抱く、
わが救いの君よ、聞きとどけを得なば、
われきみをば恒に胸の内にまもり、
双手に抱き、肌えにふれつつ、慈しみもて担いゆかん。
願わくばわれを　きみ寝《い》ねたもう小さき馬槽とならしめよ。
いざ、来たりてきみが身をわが内に横たえ
わが身をば　きみが喜びもて満たしたまえ。

15

想うにこのわれ、げにも貧しく、
きみを迎え　もてなす能わざるものなるを。
きみこそすべてのものの造り主にいまし、
かたやわれ塵土《ひじ》にすぎざるものなるを。
されどきみ　慈しみふかき客人にいませば、

いまだかつて斥けることなし
きみを飽かず見つめてやまぬ者をば。

前章の後半に引いたルターの作と比較するために、やはり降誕祭のコラールを選んだ。日本の『讃美歌』の一〇七番。曲はJ・S・バッハのシュメリ讃美歌集に収められており、降誕節の讃美歌として好まれて歌われる。まずその長さに驚かされる。日本の讃美歌集にはただ四節のみが意訳されている（第一節、二節、一〇節、一三節）。シラブル数の多い日本語への訳であるから、その四節も乏しい内容しか移されていない。だが、長いという印象は、ドイツ人もまた抱くようで、その『福音主義教会歌集（ＥＫＧ）』には抜粋して九節のみ載せられていた（第一節、三節、四節、五節、七節、一〇節、一一節、一三節、一四節）。作者Ｐ・ゲルハルトは、ドイツ・コラールの歴史において、ルターに次いで高名な讃美歌詩人。日本では、バッハ『マタイ受難曲』の代表的コラール「血と傷に満ちたる主の御頭」の詩人と述べた方が通りがよいであろう。

ゲルハルトの伝記的内容を記す機会は後に残すとして、この詩の「主体」人称を辿ってみよう。徹底して単数一人称「われ」が用いられている。「われ」はイエスの馬槽の傍らにたち、幼児イエスに「わが」想いを注ぎ出す。馬槽はドイツ語で「クリッペ」と言うが、それは民俗学的伝統においては、降誕節の部屋飾りをも指す。雛人形のように、嬰児イエスの周りにヨセフとマリア、天使、羊飼い、家畜たちの人形を並べ、降誕祭を待つ想いを託す。しかし、ここでは嬰児イエスの他何も登場しない。メシア降誕の預言、天の讃美、処女降誕など、降誕の出来事にまつわる何事も語られない。唯一、第一節の「携え来て、贈る」という言葉や、一〇節の「星」に辛うじて東方の三博士への暗示が込められているが、これもまた明示されているわけではない。馬槽の周りの狭い空間で「われ」と「きみ」（嬰児イエス）とが向かい合う。

クリッペ（馬槽の場面）の伝統的なトポスは、（ルターのコラールで見たとおり）生誕した救い主における出自の高さと自発的な貧しさ、その隔たりの逆説的同時性への感嘆である。この詩もこれに則っている。第一節から五節まで、詩的主体「われ」はそのような想いを述べてゆく。だが主体は「われら」に移行することがない。ようやく第一三節に至って「われら」という複数一人称が出てくる。この唯一の例外の後、主語はふたたび「われ」に戻る。しかし、このような「われ」の充填をあげて、この詩を個人的経験の披瀝と規定することはできない。「きみ」のまえに立つとき、この「われ」の位置に、祈る者なら誰でも立てるからである（その意味ではやはり「われら」の歌である）。

この「きみ」は、「われ」が肉の目で見た姿では無いが、生誕の出来事の場に実体を持って現前している。（この時代に広まっていた）ベルナール風の神秘主義的な連想によって「花婿」に飛躍することなく、あくまでも嬰児イエスの姿にとどまり続ける。「われ」

は嬰児を静かに見つめる喜びの内に、その姿を描いてゆくが、そこに像を結ぶ感覚的イメージは、身体の細部に及ぶ。可愛い寝姿（第二節）、小さき唇（六節）、小さき手（八節）、小さき両の眼（一二節）。嬰児の小さく可愛い姿体に繰り返し重ねて目がとめられる。そのように愛らしさ、美しさを伴って微笑み、じっと見つめる嬰児イエス。「逸らさずわれにしかと向けられた」小さな眼（第九節）に、「われ」の感動の源がある。そのように全存在を預けてくれる嬰児の姿に見《まみ》えて、詩人は受肉の出来事を新たな美として捉えているのである。

この詩にも述べられる光の象徴は、この美と深く関わっている。「われ死の夜の底ふかくありしとき、／きみはわが陽《ひ》にいませり、／陽のわれにもたらしけるは／ひかり、いのち、よろこび　また歓喜。／…／きみより射しこめるひかりぞ如何に麗しき」（第四節）。この詩節には第二コリント四章六節が響いている。「信のひかりをば　わが内に掲げたまいぬ」とあるように、これは心の像だが、その向き合うのは歴史のイエス（人物）であり、「われ」とイエス、両者はあくまでも別な存在として距離を保っている（第三節）。神秘主義の唱えるように、イエスが心の中に生まれたり、我と汝の合一が生じることはない。詩人は、その生誕が「われら」のためであると、あくまでもルター教会の伝統にとどまっている（一三節）。唯一語られるこの「われら」は重要である。自己を贈る嬰児の姿において、歴史のイエスと私の歴史が結ばれる。これがこの詩の信仰の消息であり、信の目が非同時の歴史を同時的なものとするのである。これを成し遂げる力は、あくまでも呼びかけ語りかけるその相手の方から来る（第六節）。詩の全体は、この相手の語り（約束）に対する応答へ収斂してゆく。

厳格なプロテスタントにおいては、しばしば美の否定がつきもののように現れる。だが、愛らしさ、美しさもまた、キリスト教の美意識（の中心ではないにせよ、その内）に含まれる。その発見がこの詩の核心であろう。信仰者の見つめるのは、出来事としての魂の解放への喜びであり、その外的な飾りではない。神学的に言い表すならば、受肉におけるへりくだりの主に見《まみ》えるとき、死すべき人間が創造主を迎える主人となれることへの感嘆。馬槽の救い主の逆説的な近さと遠さがこの歌の言い表す美である。だが、この大いなる出来事の主、幼児もまた愛をもって見つめられる。愛は美を見つめる。自ら「馬槽」となって「わが内に」「きみを」担いゆきたいという願い（一四節）は、そのような愛の祈りである。祈りとは、「われ」の願いのみ押しつける、自己像の写しにすぎないものではない。

2. 敬虔主義の文学

ゲルハルトの詩における詩的主体「われ」の充塡は、たしかに一七世紀における近代的自己意識の目覚めと無縁では無い。時代は、思考力のみならず感情や魂の力にも目覚める方向へ向かう。ゲルハルトはこれに共振している。しかし、ゲルハルトの「われにとってのキリスト」は、ルターの「われらにとってのキリスト」から逸れてはいない。詩はあくまでも、「われ」の向き合う二人称「きみ」から生まれ、その言葉の力を得ているからである。だが、そこに裏打ちされていた「われら」の側面が希薄になると、詩的主体はその一人称から言葉を尽くすようになる。一七世紀後半から一八世紀に亘る敬虔主義、さらに敬虔主義の一部として登場してくる「感傷主義」はその方向へ舵を切る。

三十年戦争の終結（一六四八）により、世俗領主が領邦の宗旨を定める領邦教会制は最終的に固定された。激減した人口と産業の壊滅のため復興は困難を極め、民心の倫理的頽廃も著しかったが、プロテスタント正統主義の教会は（ルター派、改革派を問わず）領邦の再建を図る世俗君主と結んで反動化し、主知的なスコラ学の秩序のもとに、神学の対抗的武装に専心した。こうした傾向への反省は、遡って『真のキリスト教』（一六〇五）を著したアルント（一五五五〜一六二一）や、アンドレーエ（一五八六〜一六五四）の『キリスト者の国』（一六一九）等において、寛容と平和の思想として培われていたが、一七世紀後半には、「宗教改革」の生きた信仰の回復を志す運動が、正統主義自体の内側から目覚めてくる。その活動は、シュペーナーやフランケによる北ドイツ敬虔主義、ベンゲルやエッティンガーを中心とする南ドイツのシュヴァーベン・ビュルテンベルク敬虔主義、ツィンツェンドルフ伯爵の庇護したヘルンフート兄弟団の三つに大きく区分される。

シュペーナー（一六三五〜一七〇五）が、アルントの説教集の序文に記した『敬虔の願い』

（一六七五）が、この運動の開始を告げる宣言となった。そこで彼は、「宗教改革」の「万人祭司」復興を唱え、信徒一人一人が魂の「再生」を得て、信仰を「実践」することを重視した。あくまでルター派教会内での信徒の覚醒を促すものだったが、彼が呼びかけた「私的信徒集会」は、分派形成として教会当局からは警戒された。フランクフルトからベルリンへと活動の地を移したシュペーナーの影響は、続く世代のフランケ（一六六三〜一七二七）により、ハレ大学神学部を中心にさらに展開する（一六九四〜）。孤児院の運営やプロテスタント初の海外伝道など、実践的な活動が展開されたが、ハレ派の神学においては、（a）懺悔の闘い、（b）突然の回心、（c）再生、と順を踏んだ悔い改めの方法論も説かれた。

これに伴い、回心の経過を告白する記述が流行するに至る。敬虔主義創始者シュペーナー自身も、来歴を綴った身上書を残しているが、後に『自身の記述による回心の発端と経過』と題されるフランケの『履歴書』（一六九〇）は、まさに師フランケの「回心」経験として後進の模範となった。著名なものとしては、シュペーナーの弟子で、後に千年王国説等の異端に走ったペーターゼン（一六四九〜一七二七）の自叙伝（一七一七）、南ドイツ敬虔主義の代表者エッティンガー（一七〇二〜一七八二）の自叙伝（一七六四）、ツィンツェンドルフ（一七〇〇〜一七六〇）の自伝的試みや、その協力者として海外伝道に尽くしたシュパンゲンベルク（一七〇四〜一七九二）の『履歴書』（一七八四）などを挙げることができる。

敬虔主義の自伝は、独自な体験を述べる為に心の襞や微妙な動きを言い表す努力を重ねて、ドイツ語の語彙を豊かにし表現の可能性を広げ、後の小説の隆盛を準備する役を果たした。ゲレールト（一七一五〜一七六九）の書簡体小説『スウェーデンのG伯爵夫人』（一七四七）では、主人公は、内なる情熱の声に応ずるよりも神の摂理と一なる理性に耳を傾けることを幸福とする。そこには、啓蒙主義の道徳観・幸福感が表明されているが、主人公の心情吐露には敬虔主義の内面表現が受け継がれている。そこではまだ、信仰によって情熱が抑制されているが、その抑制の箍は後日、同様な主題を扱った疾風怒濤期ゲーテの『若きヴェルターの受苦』（一七七四）によって外される。私的な激情が文学を導く道が開かれる。「自伝」が文学として成熟するには時を要したが、ゲーテは、ユング＝シュティリングの敬虔主義的『自伝』（一七七七）を、優れたものとして出版を促している。ゲーテ自身も、『ヴィルヘルム・マイスターの修行時代』（一七九六）に、信仰を生きた女性の生涯を「美しい魂の告白」と題する一章として挿入する（第6部）。これは、学生時代に病を得てフランクフルトの実家に戻り療養した際に、寛容をもって彼に接し啓発を与えた母方の親戚、クレッテンベルク（一七二三〜一七七四）の姿を、時代の一時期の記念に止めたものである。彼女はヘルンフート派の信徒であった。このように、個人としての「われ」への関心は、文学全般の動向、さらには時代精神全般の底流となった。

敬虔主義の「わが内なる心性（感受性）」への注目は、ドイツでは「わが内なる理性」を重視した啓蒙主義を直《じか》に導き出す。両者は「内面」に着目する点で軌を一にしている。

文学史上の影響は、啓蒙主義後期の「多感主義」にまで及んでいる。テルシュテーゲン（一六九七〜一七六九）の詩集『内なる魂の霊的花壇』（一七二九）、ゲレールトの『霊的頌歌と歌』（一七五七）、クロップシュトック（一七二四〜一八〇三）の『救世主』（一七四八／七三）や頌歌、クラウディウスの地方誌『ヴァンツベックの使者』（一七七一）などはその代表である。多感主義を敬虔主義の世俗化した形態として捉えるとき、その及ぶ範囲は広い。

敬虔主義の詩として文学的に注目されるのは、ツィンツェンドルフの詩集（一七二五）を中心に独自に編集されたヘルンフート兄弟団讃美歌集であるが、それは、時に私的な情緒過多の傾向を示す。「われ」と「われら」、共同体と個の密接な関わりを離れることのない詩は、ネアンダー（一六五〇〜一六八〇）の「力強き誉れの王を讃えよ」（一六八〇）のように、敬虔主義においても最良のものを持するが、それは、ドイツ・コラールの変遷を顧みるとき、すでに敬虔主義の成立以前、広く一六世紀末から一七世紀前半に遡る時期に達成されていた。前節に見たとおり、シュペーナーの活動に先立って、ヘールマン（一五八五〜一六四七）やゲルハルト（一六〇七〜一六七六）、他にもJ・リスト（一六〇七〜一六六七）、J・フランク（一六一八〜一六六七）という詩人たちは、「われ」を主語として信仰の内面を歌った詩を作ったが、これは「われら」の信仰告白を歌う宗教改革以来の詩の伝統にたいして、真実の籠もった新しい響きを加えた。テルシュテーゲン、ネアンダーなどの改革派詩人もふくめて、これらの詩人の歌には、今日でもJ・S・バッハのカンタータ等を通して接することができる。

四、自然詩の成立 ――クラウディウスとブロッケス

ドイツ詩の流れを辿りつつ、ルター以降の宗教詩（コラール）の伝統から、どのように世俗詩が成立し発展していくかを跡づけている。「われら」から「われ」へ、詩的主体の自覚が、その一つの駆力となってゆく。いまひとつ、対象としての「自然・世界」の発見が挙げられる。「自然詩」について思うのは、日本の詩の伝統に比べて、その占める割合の低さ、またその成立の遅さである。もちろん近世詩史以前、ルター以前にも自然にふれた詩は詠まれていた。

五月に、五月のはじめに、
あたかも耀く陽に笑みを返すように、
花々が草のなかから咲き出でる、
小さな鳥たちが、その得意とする美しい旋律を

優しく歌うとき
如何なる喜びがこれに並びえよう。
そのさまはなかば天の御国。……

中世騎士道文学華やかな頃、ヴァルター・フォン・デル・フォーゲルヴァイデ（凡そ一一七〇～一二三〇頃）の詩の第一節から引いた。ミンネ（愛の歌）、なかでも「高きミンネ」というジャンルの修辞に適って、第二節以降の叙述は貴婦人の麗しさの讃美、また身分の違いゆえに叶わぬ愛の嘆きへと移る。ミンネの背景としてとはいえ、高らかに謳われるこのような天然の讃美は、その後は文学の表舞台から退き、神への讃美と訴えに場を譲る。自然描写は専ら民衆詩（民謡）において、世俗の行事に結びつく形で命脈をつないでゆく。そのような事情は宗教改革を経て、近世史に遷ってても変わらない。文学の主流は専ら宗教詩であり、詩文を綴れる教養を積んだ知識人は、専ら牧師などの宗教者・教職者であった。
宗教詩から世俗詩への移行は一足飛びではなく、まず宗教詩の中に自然への眼差しが兆す。そのような形で始まる。その先駆的な例として、パウル・ゲルハルト（一六〇七～一六七六）の「夏の歌」（一六五三）を引く。

1　出でよ、わが心、

このすばらしき夏の季節
　神の賜物のもとに喜びを探せ。
この美しき苑の装いを見よ
わがため君がために
　身を飾りたるそのすがたを。

2

木々は葉群らをまとい、
地はその土のおもてを
　みどり濃く装う。
水仙また鬱金香《チュウリップ》は、
ソロモンの絹衣にまして
　いくえにも美しく着飾る。

3

雲雀は空高く舞い上がり、
鳩はそのひそむ岩陰を出で
　森の奥を目指しゆく。
歌心ある小夜啼鳥は

楽しき囀りをもて
　山、丘、谷、また野原を充たす。

4

雌鳥はその群れを率い、
鸛は住処を建てこれに棲まい、
　燕はその雛を養う。
足早の鹿、また軽足の野呂鹿は
喜ばしげにその高みから
　低き草地へと跳ねゆく。

5

小川は砂地にさらと流れ
ミルテの葉陰に
　おのが岸境をしるす。
草地はゆたかに広がり
羊の群れや羊飼いたちの
　歓喜の叫びを響かせる。

6

蜜蜂は倦まず
行き来し、そこここに
　貴き蜜を求めゆく。
葡萄樹の甘露は
その細き小枝に張り
　日ごとに濃さを増してゆく。

7

小麦の穂は勁く育ち、
老いも若きも喜びて
　溢れるばかりに注がるる
この大いなる恵みをば讃う。
かくも豊かなる富
　人の心にぞ贈られたる。

8

われ自ら誇る能わず。
大いなる神の大いなるみ業こそ
　わが感覚《こころ》を覚醒《めざ》ますするなれ。

ものみな歌えば、われも和し
溢るる響き　心の内より
　いと高き者のもとへ流れゆく。

9

想うは、汝《な》が優しさ
汝われらを此方にてかくも嘉し
　貧しき地上を幸いに歩ませたもう。
この世の果つる彼方
天つみ空なる黄金の城に
　なおも待つはいかなるものか。

10

キリストの苑にてはいかなる
気高き喜び、明るき光ぞあらん？
　かしこにて響くは
幾千のセラフィムぞ
口をそろえ声をそろえて
　アレルヤを歌うそのさまなる。

11

今の時すでに彼処にて
慕わしき神よ、み前に立ちて
　わが歌をうたいまつらんものを。
み使いの旋律に導かれ
汝がみ名を讃えて
　香しき幾千の歌を捧げんものを。

12

されどわれなお地にありて、
これなる身の軛を担い行くとも
　黙すること決してあらじ。
何処のところにても
わが心は絶えせず
　汝が誉れを讃えて止まじ。

13

助けたまえ、わが霊を
天より流れ出ずる祝福にて充たし

汝がためにつねに花開かせよ。
汝が恵みの夏
わが心のうちに朝な夕な
　信の実をあまた育まんことを。

14

汝が霊をわが内に住まわせ
われをして汝が佳き樹となし
　葉群ら繁く装わせたまえ。
われを汝が苑に生うる美しき花となし
絶えせず汝が誉れを讃うる
　佳き草花たらしめたまえ。

15

われを天のみ国へ定め
われをして小枝の端にいたるまで
　身も魂も緑濃く装わせたまえ。
さればわれ　汝の誉れのみを讃え
ただ汝にのみ　此方にても

彼方にても永久《とわ》に仕えまつらん。

長くなったがこれまでどおり全節を引いた。ゲルハルトは、ドイツ・コラールの歴史において、ルターに次いで評価の高い代表的な詩人である。コラールの伝統に相応しく、詩は「詩のなかの〈われ〉」、「わが心」への促しに始まり、神への訴えに移りゆく。貫かれた二人称への呼びかけは、讃歌（讃美歌）という様式に則っている。その際にしかし、第七節までの此岸（天然）のこまごまとした描写は、ゲルハルトの詩に新しい視野が開かれていることをはっきりと示している。

今日一般に、礼拝においてコラールの全節が歌われることはない。当該聖日に関わりのある数節が歌われるのみである。それはゲルハルトの時代も同じであったと思われるが、それにしても、全一五節はさすがに長い。しかし、長さは、冗長というより、バロック詩人の風格を指し示すものといえよう。第一節はまず、天然世界を見る視座として「わが心」を定める。主体への注目だけを捉えれば、後の近代にも通底する兆候と受け止めることは可能であろう。二節からから八節までは、「美しき苑」としての被造世界を叙述する。世界を被造物として認識することは伝統の把握に通じるが、細部への拘りは新しく、そのような新たな感受性をもって八節は一節の詩的主体へ還っていく。九節から一一節までは、感受された此岸世界の幸いから彼岸「キリストの苑」へと想像力を飛翔させる。これに力を得て、詩的主体は現実に帰還するが、現実の困難に打ち勝つ「内なる苑」を自覚し、これを「天の苑」の先駆とすべく自らに願い、また祈り求めてゆく。初めから終結に至るまで、内容と様式の統一は保たれている。

バロック詩人と形容したが、ヴィッテンベルクで詩学をも学んだとはいえ、ゲルハルトは神学生であった。彼の生涯を決定づけるのは、何よりも三十年戦争（一六一八～一六四八）の刻印である。一一歳の時に始まった戦いが終ったのは齢四〇を越した後。ベルリン・ニコライ教会の音楽監督（カントール）ヨハン・クリューガーとの共作でコラール詩人としての名を挙げていたとはいえ、ベルリン近郊ミッテンバルトの正牧師に就いたのは一六五一年であった。身の安定を得て、誓い合った女性と漸く結婚できたが（一六五五）、五人の子のうち四人を病で失い、夫人も後を逐って早世した。一六五七年にニコライ教会の正牧師として赴任するが、ベルリン領主ブランデンブルク公との信仰の自由を巡る闘いに苛まれ、罷免された（一六六六）後、晩年に至って漸く、生涯を終える地リュッベンに迎えられた。

「夏の歌」は、ドイツ全土の人口を半減させた三十年戦争の惨禍が終結してまだ五年目の作である。終わったとはいえ、痛手の未だ癒えぬまま将来の見えぬ状況は、一九五〇年頃のこの国のそれに匹敵するであろう。これに鑑みると、この詩の湛える光と希望は、単なる天然の美の描写とは次元の異なるものであることが分かる。何よりも、彼岸・天国という背後世界に逃避するのではなく、現実世界に踏みとどまって、そこに美と真実を見出していこうとする姿勢は、特筆するに値するであろう。リュッベンは小さな町だが、訪れると今ではゲルハルトの名を冠された教会の前に、彼の像が立てられている。像の足許に大砲の形が鋳造されているのに驚いたが、それは彼の詩作の現実を如実に示すものと感じた。戦争の惨禍は歴史とともに繰り返されるが、その現実を受け止める人間の精神は必ずしも進展しているとは限らない。

コラールの中に天然への眼差しが開かれる。ゲルハルトのいくつかの詩に「自然詩」の萌芽を見ることができる。しかし、それが直《ただ》ちに世俗的な詩へと続くわけではない。その経過を予め先に辿ってみよう。マティアス・クラウディウス（一七四〇〜一八一五）の「夕の歌」（一七七九）を以下に引く。ゲルハルトから一世紀を隔て、すでに啓蒙主義が文学を浸した後のものだが、叙述の順序としてはここが相応しい。

月が昇った。
金色の星が夜空に
明るく燦めいている。
森は黒々と黙して、
牧からは白い霧が

麗しく立ちのぼる。

なんと世界の静かなこと
夕闇の帳につつまれて
かくも親しくまた優しく
あたかも静かな小部屋のように、
きみたちの昼の辛苦《つらさ》を
忘れさせる眠りへと導いてゆく。

ごらん、ほら月が懸かっている。
その半分のみ見えていても、
真の姿は丸く美しい。
ものごととはそのようなもの、
目に見えぬからこそ、われらは
気安く笑って心をとめぬ。

われら誇りたかき人の子らは

むなしく哀れなる罪人にして、
その知るところは多からず。
空中に楼閣を紡ぎ
あまた巧みの技を求めても、
その目的《めあて》より逸れゆくのみ。

神よ、汝が救いを我らに見せたまえ。
儚きものに頼らず
虚しきものを喜ぶことなからしめよ。
われらの心を素直にし、
これなる地上にて汝のみまえに
幼子のごと慶ましく喜ばしめたまえ。

今際《いまわ》の刻《とき》　ふかき悲嘆《くるしみ》なく
われらをこの世より召したまえ
穏やかな死によりて。
かつ、われらを召したもうその刻、

われらを天つ御国に入らしめたまえ、
汝、わが主なるわが神よ。

さればきみたち、兄弟《はらから》たちよ、
神の名のもとに床に就こう。
夕のそよぎは冷たい。
神よ、我らを処罰に遭わしめず、
安らけく眠《い》ねさせたまえ。
われらの病める隣人をも相ともに。

初出はヨハン・ハインリヒ・フォス編集の『一七七九年度詩華選集』。アスムス（クラウディウスの筆名）との作者名が付されている。驚くべきことに既に同年、ヨハン・ゴットフリート・ヘルダーが匿名で出版した『民謡集』にも掲載された（末尾の二節は省略された）。「内容からして、この後いつまでも最上の民謡に値する作品」とのコメントが付されている。ヘルダーは民謡を再び文学の表舞台に乗せることを志したが、一七九五年にヴァイマルで刊行した讃美歌集の方には収録されなかったので、彼がこの「夕の歌」を讃美歌としては捉えていなかったことが分かる。

実際この詩は、今日でも民謡として歌われ、人々に親しまれている。ドレスデン十字架合唱団など、日本を訪れる有名な少年合唱団が、必ずといって良い程、その演奏曲目に含めている。その際に、歌われるのは専ら第一～三節と七節（終節）の四節のみなので、民謡的な雰囲気はいっそう深まるが、もとを質せば、このように敬虔な宗教詩である。「われら」という一人称複数形にも、コラール本来の共同性への志向がはっきりと示されている。

クラウディウスは、北ドイツ、ホルシュタインの湖畔の町ラインフェルトに、牧師の子として生まれた（筆者がこの町を訪れたとき、「夕の歌」の情景を窺わせる草地も残り、湖辺への道の傍らに生家の牧師館は佇んでいた）。イェーナ大学で神学を学んだが中途で放棄。転々とした後、一七七一年からハンブルク近郊のヴァンツベックに居を定め、「ヴァンツベックの使者」と題した新聞を発行する。週に四回、全体で四頁。紙面の四分の三は政治などの時局の報告で占められたが、残りの一頁に彼は、文学記事、書評、短編物語、詩などを配した。この（ドイツ初の）「村落新聞」の読者として想定されたのは一般の民衆であったが、ゲーテやヘルダー他の当時名の通った文人からも寄稿を得、文学史的にも位置を占めるものとなった。一七七五年に資金難で廃刊の後は、翻訳や寄稿で糊口を得、それらを筆名アスムス（「通信者」の謂）を冠した自らの著作集として八巻まで刊行した。内容は宗教的・教化的なものから哲学的考察や諧謔など多岐に亘り、形式も詩や散文、書簡、対話など様々である。緑の地ヴァンツベックに葬られたが、そこは今日ではハンブルク市の一街区となっている。車の行き来の喧しい通りから籬で隔てられるようにして、彼とその妻の墓が仲よく並んでいた。十字架にはヨハネ三章一六節が刻まれていた。

時代の理性信仰に反対する旗幟を鮮明にしたため、クラウディウスは文学史の記述で、革命の時代に背を向けた反啓蒙主義との否定的評価を受けることもある。しかし、宗教上の諍いに際しては、熱狂よりむしろ寛容を重んじ、所謂啓蒙主義者に近い立場をも採った。これは、啓蒙といっても、実は二つの側面があることに依る。フランスにおけるそれのように宗教に叛旗を翻す急進的な側面だけでは無く、民衆の教育への細やかな配慮もまた啓蒙の主たる関心の一つであった。「夕の歌」は、民衆的で敬虔な心情を歌ったものであるにしても、月の満ち欠けといった自然科学（当時は自然誌と言った）の知見を主題として取り込んで人生の諭しとする筆致には、民衆教育への志向をたしかに窺うことができる。文学に人間の知性への信頼を刻印し、いわゆる世俗化を導くのは啓蒙主義以降の思想の主傾向であるが、ドイツにおけるそれは、宗教や伝統との親しい関係を久しく保ち続けた。その特徴はこうした「自然詩」の成立の事情にも窺える。

「夕の歌」第一節の歌い出しから次節に亘る風景描写は、自然そのものが心に深い息吹を伝えるような情感の響きを持っていて、仮にそこだけを切り離せば、一編の独立した自然抒情詩の趣をもっている。自然世界と心性の交感を情緒豊かに映し出す抒情詩、たとえばゲーテの「旅人の夜の歌」を並べて対置したい誘惑に駆られる。

総ての頂のうえに
安らぎがある、
総ての梢のうちに
きみはなんら
風のそよぎを感じない。
小鳥たちは森のうちで黙している。
待て　しばし、やがては
きみもまた安らうのだ。

ゲーテはすでに別の「旅人の夜の歌」（一七七六）を記していた。右の詩は「これもまた」といいささかぞんざいな仕方で、やはり「旅人の夜の歌」という表題であることが示されている。成立は一七八〇年。つまり、クラウディウスの「夕の歌」とほとんど同じ頃の作である。

「夕の歌」と「夜の歌」、両者の違いはどこにあるか。詩の語りかける相手、想定されている読者はあきらかに違う。牧師への道を断ってジャーナリズムを生業としたとはいえ、クラウディウスはその背後に、「きみたち」「われら」という父祖伝来の信仰共同体を感じていた。その点では、ゲルハルトの「夏の歌」も同じ基盤に立つ。「夏の歌」では専ら「われ」と単数一人称が語られるが、共同体の存立はよりはっきりと自覚されている。これに対し、ゲーテの場合、「きみ」と語りかけられる「詩のなかの〈われ〉」（＝詩的主体）は、その修辞自体は伝統のものであるが（コラールにも「装いせよ、汝、わが魂よ」などという例がある）、この単数二人称は伝統の共同体からすでに自由になっている。作品は、この時期のゲーテの意中の人、シュタイン夫人への贈与、ないしは、一般の読者層に提示することが想定されている。宗教詩から世俗詩が出来する、その過程で独立した自然詩が成立する。その契機は、主としてこのような変化、すなわち詩的主体の共同体からの独立と読者層の成立に求められるのであろう。だが、それだけではない。自然観そのものにも大きな断絶がある。最後にこの点にもふれておこう。

三十年戦争は、悲惨で過酷な現実をもたらしたが、他方でゲルハルトの詩の主体の姿勢に窺えるように、信仰への純粋な希求をも導いた。戦争の惨禍をもたらした宗教的対立や教義への固執を非本来的なものと見なして、ルターの改革の真実へ立ち戻ることを唱えた敬虔主義が一七世紀後半に登場してくる。ドイツの版図を越えた広範な運動として敬虔主義は展開していくが、その標語は信仰的生の「再生」であり、蘇生の場として「内なる感受性」に重きが置かれた。個々人の信仰再生への道筋を心の内なる歩みとして跡づけた信仰告白の記述が盛んとなる。これは次の時代に小説というジャンルが誕生する苗床となり、信仰詩における主体「われ」への重点の移行もまたこれに併行する。宗教・敬虔の力点は、共同体への配慮から個人の内面のそれへと移行していく。

敬虔主義詩人としてヨアヒム・ネアンダー（一六五〇～一六八〇）、ニコラス・ルートヴィヒ・フォン・ツィンツェンドルフ（一七〇〇～一七六〇）、ゲルハルト・テルシュテーゲン（一六九七～一七六九）等の名が挙げられる。しかし、「われ」という詩的主体の偏重だけをあげて、その立場を一義的に規定することは難しい。例えばネアンダーの「力の王なる主を讃えよ」は、誰もが知る讃美歌として、今日まで信仰共同体に貢献を続けている。前世代との違いは、むしろ作品に表現された私的情緒の充溢、感情表現の豊かさに見るべきであろう。伝統との隔たりは、むしろ次の段階の啓蒙主義において、主題選択と関連してより明確になっていく。啓蒙主義は、まさに敬虔主義のただ中から生まれてくる。「内なる感性」か「内なる理性」か、の違いはあれ、ともに「内面性」へ注目する点において敬虔主義と啓蒙主義は軌を一にする。その意味においては、敬虔主義も実は、デカルト以降の思想の大きな潮流の内にあったというべきであろう。

クラウディウスより半世紀遡り、同じハンブルクを拠点とした詩人ベルトルト・ハインリヒ・ブロッケス（一六八〇～一七四七）の「虹」（一七四六）を以下に引く。

かつて麗しく彩られたまるい弧が
穹隆の全体に張り渡されたことがあった。
その色鮮やかな輝きと豊かな色彩の華やかさは
私に次のような思想を呼び起こした。

ここには太陽の光線の
普段は見ることのできぬその本質的な色彩が
明らかに描かれている。
ここには人間の視覚に
本来の太陽光が示されている。
紫、菫、赤、黄、緑、青と並ぶのを
この半円の正確な周りに我々は見て取る、
他に色彩はないのだ。

この華やかさに心深く揺り動かされない者はいるだろうか。
しかし、これに深く貫かれた私の精神は、
偏見の力のすべてより引き出されて、

神の誉れへといよいよなお導かれゆく。
彼は、多くの恒星に思いを向けて
その輝きが互いにちがう色彩となるように定める。
いずれの惑星にもそれぞれ異なる煌めきが、
光を反射するその力が、
より厳かに感じられるものと変えられて、
その変化は汲み尽くしがたいものとなるであろう。

ああ、神よ。この深い思想のうちに
私の存在のすべてがあなたの偉大さの内に沈み行くのを驚嘆しつつ感じる
あなたの尊厳と、創造に先立つあなたの光にまみえて
私は、喜ばしき畏怖と至福の歓喜の内に、ただ無に帰するのみ。

一読して明らかなように、この詩は、アイザック・ニュートン（一六四二～一七二七）の光学と、その色彩理論（一六七二）に依りつつ、宇宙万有を秩序づけた創造主なる神の叡智を讃美する。詩作の動機として、ニュートンその人の自然への姿勢がそのまま文学に移されたといえよう。この詩を導くのは、宇宙万有の真理を示された（それゆえ把握することが

できる）人間の知性への信頼である。神の絶大な叡智と永劫の支配に直面して、認識主体はその存立が「無に帰する」のを覚える。造物主への畏敬という点では伝統の神観に通じるが、その心性ははっきりと質を異にする。「喜ばしき畏怖と至福の歓喜」と述べられるように、「無に帰する」己が存在の滅びを喜悦をもって受け止めることができる。それは、ブロッケスの詩集名『神の内なる世界の愉しみ』（全九巻一七二一〜一七四八）にも窺える（この詩は第八巻所収）。その思想は、神・世界・人間の秩序に関して楽観主義を表明するものといえよう。だが、その穏やかな黙想と自由な思索は知識人のもので、民衆のものではない。読者として志向されるのは、伝統の共同体というより、むしろ学問や思想の公共性であった。

知性とその自然科学的知見をもって神と世界の関わりを闡明する。そのような神観・世界観は、「自然学的神学《フュジコテオロギー》」という一時期を画する新しい思想である。啓蒙の観点からすれば、ブロッケスはクラウディウスよりも遥かに先を行っていた。だが、その思想が一時期にしか顧みられなかったのはなぜか。また今日、ひとはこの詩にどれだけ魅力を覚えるだろうか。

学問的知見はその進展によって追い越されれば過去のものとなる。また知見は一般に普及すれば新鮮味が失われる。この詩の受容はそのような動向を共にせざるをえない。また自然観はそもそも神観と深く結んでいる。「自然学的神学」は、世界の完全な秩序の背後に完全な神の存在を見定める。人間の知性を超えた全知全能の神の叡智、それは人間の理性がかくあってほしいという願望を神に帰した「崇高なる神」の姿ではあるが、伝統的に神に帰されてきた総てから、知性の枡目にそぐわぬ側面は捨象してしまう。一方、ルターの「十字架の神学」は、神にその「本来の業」と「異なる業」とを帰した。すなわち共同体の正しい秩序や季節の収穫のみならず、歴史に示される罪過や自然の惨禍をも含めて、神はその総てを治める「聖なる」存在であった。クラウディウスは、そのような神を畏れ虔しむとともに、その恵みと護りに委ねていくことができた。しかし、ブロッケスのような宗教詩は、自然の災害や歴史に繰り返される神の存在を疑いたくなるような事象に直面するとき、もはや手に余るものとして対するほかはない。統一を欠いた切れ切れの事象に、偶々響き合う情感を対置していく営みしか残らない。それはある意味で、今日の詩作の営みをそのまま先取りすることになろう。

自然への学問的関心を生涯抱き続けたゲーテ（一七四九～一八三二）は、他方で命ある自然の秩序ある存立への学問的志向を貫き、「不可思議なもの」を内包する自然から詩を汲み取ってくる。人の命を弄ぶ邪悪さの犠牲になっても失われぬ人間の尊厳を描くシラー（一七五九～一八〇五）の詩「潜水夫」と比べてみると、等しく海中に没する人間という主題をともにしても、詩「漁師」における魔的なものを含む自然へ惹かれてゆくゲーテの立場は明らかである。理解を超える世界の様相に直面しても、これに対応するがゆえに揺り動かされぬ徴を、ゲーテは人間の側にも認めようとした。詩「神性」ほか、「神と世界」の表題のもとにまとめられた一連のゲーテの詩は、その消息を窺わせる。劇詩『ファウスト』第二部冒頭、明けそめる山中の自然のなかで、ファウストが第一部の痛手から癒やされて新たに歩み始める場面。陽を背に負って滝を見つめるファウストの言葉を引く。

だが、この水の嵐の中から生まれ出て弓を懸けわたしている
変化しながら持続している虹は、なんという美しさだ。
あざやかに描き出されるかと思うと、また空に散り、
涼しく香しいそよぎをあたりにひろげる。
あれにこそ人間のいそしみは映し出されているのだ。
この虹のもつ意味を考えてみよう、そうすればもっとよくわかってくるだろう。
本源の光の色さまざまな反映、それがわれわれの生なのだ。
（手塚富雄訳）

宗教詩から世俗詩が出来するこの時期、ゲーテやヘルダーリンなどの詩人たちは人間と自然の関わりについて、その間に厳しい亀裂を認めつつも、両者の間の根本的関わりについて、また世界の命ある秩序についての問いを手放さなかった。成立が遅いとはいえ、自然詩のこの志向は日本の伝統にはない一面である。

五、山の形而上学　——リルケとヘルダーリン

山に対する想いは、人それぞれ様々であろう。だが、人類学的な観点から見れば、山とはまず聖なる高みであり、神の宿るところとしての聖なるものとの交流の場である。その場合にも、宇宙の中心に位置して天地の絆を形づくる世界山という、激しく求心的なイメージもあれば、それぞれの山にその精霊を想定して、その交渉や闘争を物語っていく放散型の世界観まで、多様である。

カナンの「高きところ」に示されるように、総じて農耕民においては、聖なる土地の数は複数であり、それぞれの地域ごとの際立った山に聖所が形づくられる。そこでは「聖なるもの」への畏れは、馴れ合う親しみと表裏一体である。日本における「山の神」との交渉もまたこれに通じる側面を持っている。

三輪山を然も隠すか雲だにも情《こころ》あらなも隠さふべしや

額田王の歌も、神宿る尊い山と畏れ敬いつつ、その姿に郷里への親しみを重ね合わせる。高く聳える富士の山もそのような人の情を撥ねつけはしない。「あしひきの山」には、その麓に安らうというような穏やかな響きがある。村落に接する「里山」から、寺をも静かにおさめた深山《みやま》へ。この景色が、今日なお日本人の自然観の基底をなすといえよう。例えば、宮崎駿のアニメーションが観客の共感を呼びつづけている世界である。

われ山にむかひて目をあぐ　わが扶助《たすけ》はいづこよりきたるや
わがたすけは天地《あめつち》をつくりたまへるヤハウェよりきたる

これは旧約聖書、詩篇第一二一篇の冒頭の言葉。ヘブライの民にとって山とは、シナイ山におけるモーセへの十戒の授与に示されるように、神の超越的な力の臨むところであった。シオン山もゲリジム山も、そのような神への結びつき故に、人々が心を寄せるところとなる。山の姿そのものへの感動や親しみなどひとかけらもない。詩篇一二一篇はエルサレムへの巡礼歌であり、その際に山とはむしろ、盗賊が潜み待ち受けるという、恐怖の心象と結びついていた。しかし、これを「山辺」と日本的情景に置き換え、「山辺に向かいてわれ目を上ぐ、天地《あめつち》の御神より助けぞわれに来たる」（『讃美歌』）と訳したとき、元来この詩篇の背後に潜む不安は見逃されてしまった。太陽や月光が人を危《あや》めようと狙っても「天地《てんち》の創造者なる神」はまどろむことなく人間を護り、これを救うと歌う、その本来の趣旨からの逸脱は明らかである。人間はむしろ天地《あめつち》の神の住まう山に護られ、自然の内に安らかに護られている。これは、日本における他文化の受容の一つの典型を示している。

このように、日本人の山のイメージにおける尊いものの近さ。それは、自覚的にヨーロッパの影響を強く受けた詩人たち、例えば高村光太郎、立原道造、尾崎喜八という人々にも根強く残っている。ゲーテ「旅人の夜の歌」やヘッセの受容以上に、彼らの「山麓」の詩を規定しているのは、昔からの穏やかな「里山」の風景だといえよう。それは、高低差の少ない起伏がどこまでも続いていくヨーロッパの丘陵のイメージとはかなり違うものであろう。一方でまた、ハンニバルのローマ侵攻やユグノーの逃避行などにおいてアルプスは克服されるべき障害であった。ペトラルカ（一三〇四～一三七四）の『ヴァントゥー山登攀』を例外として山が文学の主題となることは稀であった。A・ハラー（一七〇八～一七七七）の「アルプス」は、初めて山岳の自然を主題としたが、この詩も山と平地の違いを述べて、山地の民の道徳性を評価する仕方で、文化的な反省が述べられる。

災いに満てるもの、富を持たぬことの幸いよ。
豊かさとは、あなたたちの貧しさに値するような財ではない。

素朴な想いが、あなたたちの平和な心には住んでいる。
華々しい妄想があなたたちに不和の種を蒔くことなく、
喜びはこの地ではその喪失を恐れる憂いに伴われることがない。
ひとは生活を愛し、死を怖がることがないからだ。
この地には理性が支配し、自然がこれに同伴している。［…］

啓蒙主義の詩人らしく、ハラーの詩には審美性に道徳性が伴っている。ただし、山の崇高な自然が人間性に近づけられる、その意味においては、日本的な山の受け止めにいくらかは通ずる点もあると思われる。

　里から眺めた山並みの美しさへの感動と共に、一方でその険しさへの注目もまた、古来より人を山に惹きつける動機となってきた。修験道の修行のイメージである。地上からの隔たりは、瞑想と思想形成の場を提供する。登山もまた、その要素を持っている。鳥見迅彦や秋谷豊など、自ら登山家である詩人たち。彼らの山の詩は、人生の歩みの途上を象徴するといえようか。だが、秋谷が「ぼくらをいまこんなに垂直にするものはなんであろう」（「登攀」）と歌うとき、そこには、先にあげた詩人たちの山のイメージよりもある意味でより根本的に近代の要素が露呈している。スポーツとしての登山、なるほどそれは近代の現象だが、詩の題材以上に、そこに近代性を響かせるものは何であろうか。

広さと深さにおいて、日本の近現代詩にリルケ（一八七五〜一九二六）ほど影響を与えた詩人は少ない。その後期の詩を引いてみよう。

心の山の上にさらされて。ほら、あそこになんと小さく、
ほら、言葉の最後の村落がある。それより高いところ、
でもやはりなんと小さく、感情の
最後の村落がある。分かるだろうか。
心の山の上にさらされて。両手の下には
岩の地面。ここにもおそらく
いくらかの花が咲く。もの言わぬ絶壁から
もの知らぬ草花が歌いながら咲いて出る。
けれどももの知る者は、心の山の上にさらされて。
おそらく、健やかに意識をもって、いくらかの動物たちが、
山でも確かに生きていける動物たちが
往き交い、とどまる。身の安全な大きな鳥が
山の頂の純粋な拒絶をめぐって輪を描く。けれども

ここ、心の山の上に投げ出されている者は……
（神品芳夫訳）

円熟期を迎えた詩人は、風景を描きつつ、自らの詩法をも言い表す。視界に入る事物が、そのままの姿で描かれるのではない。詩精神の高まりに伴い、切り立っていく心の姿が示される。そこでは、外側の世界と内側の世界とが重なりあうように、二つの空間が交錯する。自然の対象に向かい合っていく精神の感応そのものを手触りとするその表現は、セザンヌが晩年に描き続けた山の景色を思い起こさせる。しかし、そもそもなぜ、心の頂なのか。心の頂にさらされて、というリルケの言葉はどのような問題を含むのか。

ここで、すこし思想史的な話を挟みたい。K・レーヴィットに『デカルトからニーチェまでの形而上学における神と人間と世界』という著作がある。その内容の子細にふれている余裕はない。だが、この表題に挙げられている三つの概念、神・人間・世界は、近代形而上学に限らず、古代から現代に至るヨーロッパ思想史を貫く重要なテーマである。いずれを第一に置くか、その序列だけが移るのだ。かりに、それらを三重の同心円として重ねてみると、一番外側に何が来るか。時代の秩序の全てを包括する第一の要素として、古代、中世、近代に対し、それぞれ世界、神、人間を指摘することができよう。ではそこで山は、どんな位置を占めるのか。

古代においては、世界（自然）のなかに神も人とともに並び置かれて生々流転を繰り返す。宇宙（コスモス）の中心には、ゼウスのオリンポスやオーディンのアスガルズといった世界山が位置し、命の根源としての世界樹が聳えている――天・地・黄泉の三界を貫く軸として。中世になると、このような世界の構造の外に神の座が移され、すべてはこの超越の神から始められる。神は世界の基を置き、自らの創造世界の要として人間を創造する。エリアの籠もったホレブ山や、千年王国運動の中心地タボル山のように、山は神が人間に接近し、自らを啓示する場所となる。

だが、近代に入ると、神・世界・人間というそれまでの同心円の序列は逆転する。認識と意識の秩序に基づいて、世界も神も理解され、説明されるようになる。神をも取り込むまでに内的世界が拡大される一方で、その多様性を統一し、まとめる意識の伝統的な核心は喪われていく。近代登山の始まりは、山の担ってきた伝統的な聖性の喪失に呼応する。いわば個々人それぞれの山が（その精神を担って）、詩的啓示の舞台となるのだ。シュティフターが『水晶』で、雪山の荒々しい自然と対比させて、純粋な人間精神を造形しようとしたように。あるいはまた、トーマス・マンが『魔の山』の架空療養所に、時代から隔離された理想世界を瞥見しようとしたように。

リルケはこのような問題を早くから詩に表現している。詩「夕暮れ」（一九〇四）で、近代人の所在のなさをまさしく、垂直性のゆらぎとして表現している（『形象詩集』一九〇二／一九〇六）。

夕暮れがおもむろに衣裳を替える。
老いた木々のこずえのふちがそれを支えてやる。
君は観る、すると君から二つの風光が分かれる。
ひとつは天へ昇り、もひとつは落ちる。

この二つの風光が、どちらにも属しきらない君を
黙っているあの家ほどにまったく暗くもせず、
また、毎夜星となって昇るあののもののように
永遠を確実によびおこす存在にもしない。

こうして君に（解こうにもあまりに名状しがたいが）
君のいのちを不安なままに、巨大にし、そして成熟させる。
こうして君のいのちは、あるいは限られ、あるいは捉えつつ
かわるがわる君のこころで石となり、星座となる。

（生野幸吉訳）

近代人はもう、過去の人間のように神から人へ、その応答として人から神へという垂直性によってその生を方向づけることができなくなった。近代人の漂い、浮遊がそこには表現されている。こうした表現の背後には、『マルテの手記』（一九一〇）に纏められたリルケのパリ滞在（一九〇二～〇三／〇五～〇六）の経験が窺える。その冒頭に「誰も彼もが死ぬためだけにやって来る」と記したような、近代人の実存的な不安、その寄る辺のない彷徨いを、自らも深く味わった経験が控えている。だが、近代人が、その不安に抗ってなお自らの立処を確保しようとしたら、そこにはどのような姿勢が現れるか。

近代の陥った秩序崩壊の状況下では、個々人は、その中であてどなく漂うか、さもなくば、自分で世界の秩序そのものを構成し直さなくてはならない。かつての垂直軸に相当するものを自ら築かなくてはならない。この課題に関してロマン主義や観念論の立場は楽観的であった。ロマン主義の絵画に、山頂に立つ人物像が描かれるのはひとつの象徴である。神を喪った西欧近代人が、自我に固執し精神の内的な屹立に存在の意義を求めた。そのような志向と、未踏の頂を目指す近代登山の成立と発展は軌を一にしている。その始まりは、山の担ってきた伝統的な聖性の喪失に呼応する。山は克服すべきものとなる。スポーツとしての近代登山がそこに始まる。これに対応して、文学でも、いわば個々人それぞれの精神の聳え立ちが、詩的啓示の舞台となる。それはいずれも、浮遊を逃れえない

カスパー・ダーフィッド・フリードリヒ（1774—1840）「雲海上の旅人」

多数の民衆の中で、限られた少数の個人のみが追求しうる営みではあるけれども。
個々人が自ら世界の秩序そのものを構成し、その究極にまで自分で行き着かねばならぬ。近代精神の企てがそのような姿を示すものとすれば、リルケが外的世界に対置した内的空間とはまさにそのような垂直性への足場であったと言えよう。切り立っていく精神の突端に立ち、「心の山頂にさらされて」、神・世界・人間の秩序の再構成を図る、そのような傑出した個がそこここに屹立する。それが近代の風景である。リルケは、その最晩年に向けて、こうした近代人の方向喪失の状況に対し、精神の垂直性を獲得する方向を模索した。『ドゥイノの悲歌』（一九二三）第一〇の悲歌（一九二二）、その終結部で、詩人は人間の死をこう歌う。

ただひとり死者は踏みのぼってゆく、「原苦（ウアライト）」の山の奥深くに。
やがて跫音さえ、音のないその身の行末から響かなくなる。

第九の悲歌で、大地の委託を受けとめつつ、なお高みを目指すものとして、人間の存立を、あるがままに肯定した詩人は、命の終わりとしての死をも、「降《くだ》り下る幸福」として肯定する。詩人とは独りそのような自覚をもって近代の「荒地」に聳《そばだ》ち、切り立っていく者とされる。悲歌の結末と『オルフォイスへのソネット』（一九二三）の冒頭は響き合っている（成立一九二二)。

　そこに一本の樹木が立ち昇った。おお、純粋な超越へのぼる。
　おお　オルフォイスがうたう。おお　耳のなかに聳え立つ樹木よ。

日本の近現代詩にリルケほど影響を与えた詩人は少ない。日本においてリルケが広く受け入れられたのは、ヨーロッパ近代の受容に並行する。どれほど理解されたかは別として、切り立った、あるいは聳立する精神の姿勢への共感がそこにあったといえよう。そのような詩人の心象の放射を受けて反照する外的風景。例えば伊東静雄の「わがひとに與ふる哀歌」に等しい企図の成功例を見ることができる。
　だが、そのような近代精神の垂直性、それはまた実に危険な眺めである。眼下にはロマン主義の錯綜した森が果てしもなく広がり、そこここにデモーニッシュなものが噴出して、山はヴァルプルギスの狂乱の舞台となりかねない。「旅人の夜の歌」において青年の日に予感した山々の俯瞰を獲得するために、ゲーテですら生涯を要している。近代において詩人とは、そのような夜を引き受ける存在だが、そのような切り立っていく精神に空の青がくっきりと抜けることがあるか、まことに心許ない。
　すぐれた詩人は時代精神に対して研ぎすまされた感受性を持つ。だが、近代精神に敏感に反応し、自らの心の頂に時代精神の屹立を体現する。その姿勢には、どうしても欠如が顕わになる。近代には「空がない」のだ。これもまた時代のもののようだ。そのことを思い起こすには、例えば、リルケもまた重んじたヘルダーリン（一七七〇〜一八四三）、その詩「アルプスの麓で歌う」（一八〇二）を横に並べてみるとよい。そのアルカイックな言葉には、すでに始まっている近代精神の刻印を深く受けつつも、むしろそのような枠組みを覆すような彼方からの響きがある。

聖《きよ》く汚れなきものよ　ひとも
また気高き者たちも心から信頼を寄せるものよ　あなたは
家の内に　また外にても年を重ねた山々《もの》の麓に
　　　　　　　　　　　　　　　　とどまることを好み
いつも安らいださまで知恵を讃えている。［…］

こうして天《そら》の気高いものたちと独り居て
過ぎてゆくのは　光と　水の流れ　さらに風　そして
時がそのめあてへと急ぎゆくとき、その前に佇《た》ち
　　　　　　　　　　　　　　　　揺るがぬ眼を持つこと

これにまさる幸いを私は知らず　望みもしない。［…］

命が終わりに向けて限界づけられたものであることを知りつつ、その命と使命を喜びの内に受けとめようとする。そのような言葉とリズムが澄みわたってゆく。それは、おそらく近代をこえた所から響いてくる。リルケの詩「心の山頂にさらされて」における「山の頂の純粋な拒絶」とは対極の響きがそこにある（宮沢賢治の「種山ヶ原［下書稿㈠パート三］」にもこれに通じる響きを聞くことができる。「それをわたくしが感ずることは／水や光や風ぜんたいがわたくしなのだ」）。

リルケとヘルダーリンを並べてみると、そのような天空の異なる相貌とともに、いまひとつ、呼びかける相手の存立の不確かさもまた気になるところである。リルケの場合は、山上の花々や生きものに接していながら、それらとは縁のない存在として立っている。一方、山に向かいつつヘルダーリンは、「聖く汚れのないもの」「空の気高いものたち」に自らを開き、これに触れていく自然のことばと対話している。さらにまた、そこには他者や共同体を望み見る構えも窺える。

だが　その胸に気高いものをまもりつづける者は
よろこんで地上のくにに留まる、私も今は心のびやかに

許される日々のかぎりあなたたち天《そら》のことばを
解きあかし歌おうとする。

ここには、これから語りかけられる人々の顔が見えており、詩人の孤絶を感じさせない。孤独ではあっても、孤絶ではない。ヘルダーリンの代表的な讃歌に「帰郷」（一八〇二）という作品がある。そこで詩人は、アルプスの高みから故郷の人々のもとへ降ってゆく行程を歌う。人々と交わる喜びを確認し、共同体の絆をふたたび基礎づけるために降って行く。

すでにヘルダーリンもまた、キリスト教的伝統の陥っている危機、すなわち伝統的な宗教や神学の手垢のついた言葉では、存在と生の根源の命を語り得ないとの自覚に出発した。しかしヘルダーリンは、あくまでも天地の間に立ち、両者の媒介者として人々に語りかけることを詩人の使命として自覚している。これに対し、晩年のリルケは、屹立する詩精神として独り高みに立とうとし、あるいはオルフォイスとして独り詩の苑に歌おうとする。そのような詩精神をともにしうる者にだけ、彼の詩の言葉は開かれている。この意味において、同じく近代の生を生きるといっても、二世紀に亘る大きな断絶がリルケとヘルダーリンの間にはあるといえよう。

六、神への問い

――ドイツ現代詩を辿って

古代イスラエルにおける祈りの言葉は、「詩篇」に代表されるが、その様式は「讃美の歌」と「嘆きの歌」の二大類型に分類される。これに小類型として「感謝の歌」などが加わる。降ってヨーロッパ・キリスト教世界の詩文学も、古典古代の様式からの影響があるとはいえ、聖書の文学類型に従って、「讃美」「願い（嘆き）」そして「感謝」を、基本的な主題としてきた。

ドイツ文学の場合も、ことに宗教改革以降のコラールにおいて、詩の言葉はやはりその三つの主題を巡って展開する。コラールの歴史においては、「われら」の歌から「われ」の歌へ一人称の重点が移るとともに、共同体の信仰告白から個人の心情吐露へと、主題そのものが変化して行く。その推移は敬虔主義の世紀への移行に伴うが、それはまた、自己意識を思考の出発点とする近代思想の展開に呼応する。その展開が更に先に進むと、そもそも宗教詩から世俗詩へ、詩の核心が大きく推移する。ただ、詩の大勢が世俗詩に傾いても、ロマン主義から写実主義に至るまで、主題としての「神」はそれなりの位置を占めていた。例えば、ドロステ゠ヒュルスホフやメーリケの詩では「神」が確かな位置を得ている。これが現代の詩では大きく変わる。

「神への問い」と表題に掲げたが、それは本来、「嘆きの歌」の一要素を為すものであった。しかし、宗教詩が詩の中心から外れてしまった現代において、「神」は詩の主題として自明のものではなくなった。そこでは「神への問い」は廃れるか。いな、時として、詩の存立そのものの意義を問う形で「神への問い」が発せられるに至る。現代詩のそのような局面を以下に見ていくことにする。いわゆる現代詩について、遡って二〇世紀初頭から、現代に至る時期に光を当てる。伝統の延長における詩作と、伝統の揺らいだ局面における詩作と、大きく二つに分けて扱うことになる。

1. キリスト教・ユダヤ教の伝統の延長で

二〇世紀の前半には、さまざまな文学運動が同時に並行して唱えられた。そこに示された近代精神の多様な展開のなかで、キリスト教的な要素はますます影響力を失っていった。そのなかでも、しかし、伝統的なキリスト教の立場に固執し、歴史的な遺産を先へと培って行こうとした詩人たちは、途切れることなく続いた。かれらの関心は、フォイエルバッハ、マルクス、フロイトの無神論的な宗教批判や、ニーチェの唱えたいわゆる「神の死」の主張、また個人の解放という時代気風、技術の進展と都市化・工業化の波のなかで、なおも神の問題についてどう語ったらよいか、ということだった。

（1）最初に挙げる詩人は、ライナー・マリア・リルケ（一八七五〜一九二六）。彼は、時代の諸傾向の枠にはめることは難しく、一義的な運動のいずれにも帰することができない。その大きさゆえに、二〇世紀前半で最も影響力の強いドイツ詩人といえる。彼の詩の全体をそもそも「祈り」や宗教詩の観点から扱えるか、疑問が残るにせよ、「神への問い」を問題とするとき、そのような主題の成立に、リルケの与えた影響はやはり無視することができない。

プラハでカトリックの家に生を受けたが、幼児期に女児として育てるなど、両親はリルケの自己形成に問題を残した。青年期にニーチェを耽読、キリスト教への懐疑が初期の詩の主題となる（『キリスト幻想』一八九六／九八）。ニーチェの恋人ルー・アンドレアス＝ザロメの感化を受け、イタリアやロシアをともに旅行。ロシア民衆の姿に感銘を受け、宗教的内面を表現する詩が生まれた（『時禱詩集』三部作 一八九九〜一九〇五）。この詩集は、二〇世紀全般の神についての文学的語りの伝統において、その起点の役割を果たしたといえる。その表現は、それまでの神について語る伝統に結びつけられてはいても、むしろそれを克服する方向を志している。その成立には、一八九八年のイタリア旅行、また九九年のロシア旅行が大きな意味を持った。フィレンツェの画家やロシアのイコン画家たちの作品は、それまでの憂鬱で情熱的な彼の作風から根本的な転換を導いた。神と人間の関わりにおける芸術家の役割が重要な意味をもつものとなる。伝統の「祈禱書 Stundenbuch」の様式で、ロシア旅行の直後、まずはその第一部『修道僧の生活の書』が著された（一八九九）。その中の一つ。

詩人たちはあなたを蒔き散らした
（訥々と綴る言葉の総てを嵐が吹き抜けていった）、
しかしわたしはあなたを再び蒐めよう
あなたの喜ぶ器の内に。

わたしは多くの風に吹かれて旅をした、
風の中をあなたは千の姿で駆り立てていた。
わたしは見いだす総てのものを携えていく、
盃としてあなたを盲人は必要としていたし、
たいそう深くにあなたを召使いは隠していた

乞食はしかしあなたを差し出した、
時にはひとりの子どものもとに
あなたの心の大きなひとかけらがあった。

ご覧のように、わたしはひとりの探求者です。

己が手の後ろに隠れ
牧者のように歩むひとりの者、
（彼を惑わす眼差しを、見知らぬ者たちの
その眼差しをあなたが彼から転ぜられますように）。
あなたを纏めあげることを、また自らを
纏めあげることを夢みている、ひとりの者です。

（以下訳者が明記されないのは拙訳）

「あなた」に向けて、祈りの文体で書かれている。しかし、この「あなたdu」とは誰か。リルケ研究ではしばしば、この詩集でリルケは審美的な代用宗教を作り上げたと批判される。対話形式の構造で詩を構成するために、形式上の「語りかけ」のために不可欠な「あなた」を置いたと。同じことが、後期の代表的作品『ドゥイノの悲歌』でも、その「天使」の登場に対して指摘される。ただここでは、そこまでの意図を読み込まずともよいと思われる。

詩人たちは、神への道を本当に開くことはなかった。むしろ、つっかえつっかえ言い淀む仕方 stammeln（訥語）で、それを不明確にしてしまった。語り手である「詩のなかの私 Lyrisches Ich」（ここでは想像上の「修道僧」に託されている）は、それを新しい（抒情）詩の器に集めようという。続く連に登場するのは盲人や召使い、乞食や子どもといった、社会の隅に生きる小さな人々で、語り手は彼らを見つめつつ、神への道を求めている。そのかぎり、この「修道僧」には、聖書の福音に添った道筋で真実を追究し、神と世界（と人）の秩序を再び纏め上げようとする。その使命を全うすることが、自己の立場を全うすることであると告白する。その道で迷うことのないようにという祈りは、信仰者のそれとさほど違わない。

人が神を仰ぐ姿勢を再び秩序づける。それにより詩人が自己の立処をも確保する。それは、かつてヘルダーリンが詩人の使命としたことで、リルケもそれを己が課題として受けとめている。その意味では、彼もまた伝統に根ざした立場を選択している。神と人との関係を再建することを志す。その意味で、『時禱詩集』のリルケに、転換点に立つ詩人の姿を認めることが出来る。その後は転々とし、パウラ・ベッカー他、ヴォルプスヴェーデの画家と交わり、彫刻家クララ・ヴェストホフと結婚。またロダンの秘書としてパリに赴き、

『オーギュスト・ロダン』(一九〇七)を著すなどして、事物の外的形象への関心を深めた。同時期に編まれた『形象詩集』(一九〇二/〇六)や『新詩集』(一九〇七/〇八)には、聖書からの主題も多く扱われるが(「ダビデ、サウルの前に歌う」「エレミヤ」など)、パリ滞在から生まれた散文『マルテの手記』(一九一〇)のように、現代人の不安を洞察し、存在の危機を克服することが晩年の主題となる。
『僧院生活の書』でリルケは、修道士に「神のまわり」を廻っていると語らせたが、これは生の探求に遍歴を重ねるリルケの生涯を既に示している。だが、その歩みを始めた詩人が辿り着いた先が、どのような地点か、それは既に前章で扱った。後期の詩「山々の頂に晒されて」において、神を仰ぐ「祈り」の姿勢が、「高み」への志向として、形象化される、いわば「垂直」への志向として言い表されるとき、そこに「山」の形象が現れる。

心の山の上にさらされて。ほら、あそこになんと小さく、
ほら、言葉の最後の村落がある。それより高いところ、
でもやはりなんと小さく、感情の
最後の村落がある。分かるだろうか。

さらに、「総ての天使は怖ろしい」と歌い、生への実存的問いを主題とする『ドゥイノの

悲歌』（一九一二〜二三）では、人間存在の究極の姿を「登攀」の形象で言い表す。また、『オルフォイスへのソネット』（一九二三）で、自己の死生観を結晶させるなど、リルケは宗教的問題を生涯に亘って追求した。晩年のリルケは、屹立する詩精神として独り高みに立とうとし、あるいはオルフォイスとして独り詩の苑に歌おうとする。神を名指すことなく、神の探求の途を貫いたといえよう。そのような詩精神をともにしうる者に、彼の詩の言葉は開かれている。こうしたリルケの歩みにおいて、現代詩の重要な起点を見ることができる。一方で、彼が達し得たような境地には、以降の詩人たちはもう達し得なかったし、ある意味で、それを自らに望まなかったのではないか。以降はこの視点から現代の詩人たちの「神への問い」を辿ってみたい。

（2）リルケに続く世代は、本来の意味で、現代詩の詩人たちと呼ぶに相応しい。彼らは、二〇世紀という、戦争と大きな社会変動を経験する時代に生きた。戦争とホロコースト（ショアー）の二〇世紀。この時代の詩は、多かれ少なかれ、そうした時代の陰に強く刻印されている。その様な状況下で、むしろ、キリスト教的伝統のただ中に自覚的に止まりつつ、神と人との関係を主題として詩作をした詩人ヨッヘン・クレッパー（一九〇三〜一九四二）を、次に取り上げる。リルケを検討した後では、当然ながら神に向かうその垂直の姿勢を強く印象づけられる。クレッパーの詩は、感謝、讃美、請い求めという三つの様態、すなわち祈りの言語態の内を動いている。その意味で、彼は、プロテスタントの伝統的宗教詩の最後の担い手となった。

クレッパーは、牧師の子として生まれ、プロテスタント神学を学んだが、途中でこれを放棄している。しばらくラジオ局で働いた後、ベルリンの教会系出版局に勤めた。その後は自由な作家として世に認められることを志し、比較的遅くなってから、プロイセン王、フリードリヒ・ヴィルヘルム一世を扱った小説『父』（一九三七）を著した。彼の生涯を決定的なものとしたのは、ユダヤ女性との結婚である。時局は彼の後半生に困難をもたらした。相手の女性は一三歳年上で、先の結婚で二人の娘がいたが、ユダヤ人への迫害が身近に迫り彼の家庭は苦境に陥った。妻とその娘が強制収容所に連れて行かれようとしたとき、彼は妻と下の娘とともに自死の道を選んだ。

クレッパーは、その手記『御翼の陰に』において、しばしば当時のキリスト教世界に対する厳しい批判を綴っている。表明された彼の発言はときに物議を醸した。しかし、彼は、キリスト教信仰とその教会に対しては誠実を貫きとおした。その姿勢は、彼の詩に最もよく表されている。例として「アンブロジウス風の朝の歌」をあげる。

すでに日の輝きが射し初める。
ひくき心で神に請い求めよう、

何がこの日に起ころうとも、
すべての災いから守り給えと。

神がわれらの唇を清く保たれるように、
反目が今日われらを分かたぬようにと。
神がわれらの眼差しを自由にし、
何が虚しいものかを示されるように。

こころの清さを求めて戦おう。
こころの頑なさを捨て去ろう。
肉の思い上がりを撓めて砕こう。
また飲食を正しく用いよう。

そうして陽が沈みゆくとき、
闇が再びわれらを取り巻くときには、
われらが世の重荷から悉く免れ
星々の天幕にいます方を讃え歌うように。

われらの父なる神を讃えよ、
また御子イエス・キリストを讃えよ、
われらに慰めを賜う御霊をもまた讃えよ、
昔も、今も、また永久《とわ》に亘って。

この詩は、神への祈りといえなくもないが、むしろ共同体へ向けた信仰告白と言うべきであろう。この詩が成立したのは、表現主義の詩人たちの時代。彼らは、かつてコラールの本質を危うくしたロマン主義以降の自己栄化と天才尊重の気風を繰り返そうとしていた。これに対立して、クレッパーは自らの厳格な立場を明らかにする。トラークル（一八八七～一九一四）のようにもっぱら私的な着想に任せて書く仕方を意識的に採らず、そのような自己への集中の途に逆らって立つ。自らの言葉を、もっぱら聖書に基づく言葉や、典礼など教会の財となった言葉に限り、作品を構成する。しかし実はそこにもなお、時代の状況は暗示されている。この詩には、試練を受ける者の不安な状況について直接の言及はないが、夜の闇が急に不安を満たすという表現からは、この詩全体の隅々にまで響いている一つの深い経験の重みを感じとることができる。

彼の詩は、『キリエ』と題する小さな本にまとめられた（一九三八／第一一版一九六〇）。

いま一人の詩人を見てみたい。先に、リルケにおける垂直への志向について語った。しかしその方向性は上昇とは限らない。『形象詩集』に収められた有名な詩「秋」(一九〇二)は、「落ちる」ことを主題とし、垂直軸は保たれているが、方向は反対である。

木の葉が落ちる、木の葉が落ちる、まるで遠くから降るかのように、
大空で、いくつものはるかな庭が枯れたかのように。
木の葉が落ちる、否定の身ぶりでひるがえり落ちる。

そして夜夜には、重い地球が
ほかのすべての星から離れ、孤独のなかへと落ちる。

われわれはみな落ちる、見よ、この手も落ちる。
ほかのものたちを見るがよい、落下はすべてのうちにある。

しかしひとりのひとがあって、
この凋落を、かぎりなくやさしく両手のなかに受けとめている。

(生野幸吉訳)

この詩の「ひとりのもの（ひと）」は、「神」とは名指されていないが、伝統の宗教詩の延長で語られている。それに対して、やはり伝統の宗教詩の延長上にあって、天と地を結ぶ垂直軸に固執しつつも、攀るのではなく神をも地上に引き下ろすような、独自の姿勢を貫いた詩人がいる。クリスティーネ・ラヴァン（一九一五～一九七三）の一編を次に引く。詩集『乞食の器』（一九五六）に収められている。

これが私の人生だった、神様、忘れないで。
もう一度など決して生きたくはない ―
私が葬られるのを、私の心臓がこの憂いのために
壊れるのを、あなたは先延ばしにできるかも、
でも、わたしはもうずうっと屍の身を生きている。
言わないで、同じ定めを負った人が沢山いて
あなたの助けを得て見事に耐え忍び
信篤くして聖人に列せられたなどと。
私の屍は荒れ狂っても、自分を殺したり、ましてや
あなたを慰めと嘯く輩を殺したりはしない、

あなたが現実には無力でしかなかったその処で。
私の神経を餌として喰らいつく狼—
それもあなたなの？　また、あなたの手なの
ちらちらと灯る私の意識が積もる
周りを乱暴に掻きむしり、皆が寝ているときも
私を眠らせないのは？—　神様あなたの信者たちが
唱える生温い言葉の口まねは一切御免よ。
私は彼らの天国になど来たりはしないのだから。
ただもう一度だけ—　私が葬られる前に—
夢の中でもいい、私に一閃の愛を抱かせて。

作者クリスティーネ・ラヴァンはオーストリアの詩人。本名クリスティーネ・トーンハウザー。生誕の地方ラヴァンの谷をその筆名とした。貧しい家庭に、奇形の身体と極めて弱い視聴力をもって生まれた。身体虚弱のため学校も中等教育の途中まで通えただけで、人や社会から孤絶した生涯を送った。母の生業であった編み物で辛うじて生計を立てるつつましい生活ゆえに、第一次世界大戦後の社会の変動とも無縁であった。早くから詩への関心に目覚めたが、リルケの詩にふれて、その形象性を学び、文学や哲学、宗教や神話の世

界に関心を広げるなど、強い影響を受けた。リルケの垂直と高みへの志向を負の方向で受けとめているが、彼女の場合、神と人との関係は、伝統の表象をむしろそのまま受け継いでいる。その作品は「冒瀆詩」とも評されるが、訳した詩を典型とするように旧訳詩篇の類型「嘆きの歌」を極限にまで貫く形で、ヨブのように神に執着しつづける。『ヨブ記』の記すような試練を、個人の宿運として、まさしくその身に負った詩人と言えよう。衝撃的で黙示録を想わせる形象を連ねた詩は、読者に強いインパクトを与える。その詩は、トマス・ベルンハルトに見出されて、はじめて世に出た。『乞食の器』のほかにも、『月の紡錘』（一九五九）『陽の鳥』（一九六〇）『孔雀の叫び』（一九六二）等の詩集がある。

神との結びつきを断ち切ろうとする現実の試みに直面して、人がなお神を讃えることが可能か、それは『ヨブ記』の主題であるが、それは、二〇世紀の半ばから後半に向けて、個人に閉ざされたものではなく、社会全体を覆う苦難の問題として詩の主題となる。

2. キリスト教・ユダヤ教的な伝統の揺らぎ・ユダヤの宿運を受けて

二〇世紀の半ばを過ぎると、神と人とを結ぶ伝統の垂直軸の揺らぎが顕著となる。それは、個人の問題を越えて、社会・民族の問題へと広がる。これは、キリスト教圏の詩人たちよりも、ユダヤ教に縁のある詩人たちにおいて深刻に受けとめられたが故に、総じてそ

の表現もより深いものとなっている

イスラエルは歴史において三度の悲劇を経験している、その初めはバビロン捕囚であり、そこから文学作品としての『ヨブ記』などが生まれた。二度目はエルサレム陥落であり、福音書やパウロの書簡のような文学類型が生まれた。三度目は直近のホロコーストであり、民族の抹殺が謀られ、その存在の記憶まで奪うものとなった。この経験を経て語られた「アウシュビッツの後、なおも詩を書くことは野蛮だ」というアドルノ（一九〇三～一九六九）の言葉（『プリスメン 文化批判と社会』一九五五）は、よく知られている。ユダヤ人の受けた未曽有の経験は、文化的営みとしての詩の享受と創作に疑義をつきつけた。詩作の基盤が問われる。ただそれは、詩そのものの存立への疑義というより、詩に向かう態度の問題であった。文化貴族的な特権・洗練に価値を置いてきた文明のあり方に突きつけられた批判は、リルケのように詩精神を打ち立てる途を比較的安全に辿ってきた、従来どおりの詩人の生も何らかの責任を免れないとした。そこで、ラヴァンの個人的な運命に対する抗議の声は、民族的な響きを担うものとなる。

ネリー・ザックスとパウル・ツェランについてはすでに沢山のことが語られているが、ここでも取り上げないわけにはいかない。以下で扱う彼らの詩の主体、「詩のなかの〈私〉」が、しばしば複数一人称であることは象徴的である。それは、民衆の歌としてのドイツ・コラールの基本的な人称を負の方向で受け継ぐこととなった。

ノーベル賞を得た数少ない女性詩人・文学者の一人として、ネリー・ザックス（一八九一〜一九七〇）の名は割合よく知られている。ベルリンの裕福な同化ユダヤ人の家系に生まれ、手厚い庇護の内に成長したが、ナチズムに直面して初めて自己のユダヤ出自と向かい合うことになった。一九四〇年、母とともに奇跡的にスウェーデンへの亡命が叶い、以後はそこで暮らした。絶滅収容所への送致を免れたが、その現実と意味を早い時期から心得ていた。自らが炎の中にあるかのように記すことは、狂気に陥るのを避けるためだったと告白する。一九四七年、ベルリンの出版社から『死の住処にて』を刊行。「ホロコースト文学」の「詩的」な証言となった。その中の一編「死者たちの合唱」を次に引く。

私たち、不安の黒い太陽によって
篩《ふるい》のように貫かれたものたち――
私たちは死の刻の汗にまみれている。
私たちに着せられた死は私たちの体にふれて萎れ
砂丘のうえで野花のように萎れた。
おお、塵になお友のように挨拶をする君たち
君たち、もの言う砂は語る、
あなたが好きだと。

私たちは君たちに言う、
塵の秘密を覆う外套は裂かれた
私たちの内で窒息させられた風、
私たちを灼いた火、
私たちの残り滓が抛《ほう》られた地、
私たちの恐怖の汗とともに空しく滴った水
は私たちとともに断たれて輝きはじめる
私たちイスラエルの死者は君たちに言う
私たちはすでに星一つの距離だけ先に
私たちの隠された神の内に達している。

ここにはラヴァンのような、直接の抗議は語られていない。壮大な嘆きの歌の内に、謎めいた語り口ではあるが、受苦という民族の宿運があくまでも神の手の内にあるものとして歌われている。続く『星の触』（一九五九）以降の詩集においても、民族の存立の意味を神の内にある深い謎としてうけとめる彼女の姿勢は、変わらない。

ザックスと、それぞれの晩年に交友を結んだパウル・ツェラン（一九二〇〜一九七〇）は、ザックスのこのような姿勢と向かい合うドキュメント風の詩を残している。詩集『誰でもない者の薔薇』（一九六三）所収の「チューリッヒ、鸛《こうのとり》亭にて」には「ネリー・ザックスのために」という献辞が添えられている。

多すぎることについて話しました、
少なすぎることについて、あなたについて、
しかし—と言うあなたについて、
明るさを抜けた先の翳りについて、
ユダヤのことについて、
あなたの神について。

それ—
について
ある昇天の日に、
大聖堂が向こうに見え、やって来ました
金色の閃きが幾つか水面を渡って。

あなたの神について話しました、わたしは
彼に逆らって語りました、わたしが
持っていたその心に、
期待した
のは
その最高で、言いよどむことのない、その
言い逆らいの言葉――

あなたの眼は私を見つめ、目を逸らしました、
あなたの口が
自身の目に語るのを、わたしは聞きました、

わたしたちは
じっさい知らないのです、分かりますか
私たちは
じっさい知らないのです
何が

本当なのかを。

ツェランは、二〇世紀詩人全体の内でも、リルケと並ぶような影響力のある存在となった。彼は、ザックスより二九歳若く、一九二〇年にブコヴィナの首都チェルノヴィッツで生まれた。本名パウル・アンチェル。ツェランは姓のアナグラム。ナチズムの大規模な殲滅を奇跡的に逃れた。ザックスがストックホルムを新たな居住地としたように、パリを住まいとしたが、生涯その地に馴染むことはなかった。ザックスと同じように、最初に馴染んだ母語、しかし迫害者の言葉であるドイツ語で記すという、屈折した意識を担った。一九四七年に初めて印刷された「死のフーガ」で「殺戮」の出来事を戦後のドイツ人の意識に焼き付けた。その長めの朗誦調の響きは、後年に纏められた作品では失われ、極度に縮められた言葉で秘教的な独自の形象をまとう姿に変わった。断片的なその詩句は、沈黙とつっかえつっかえ語られる吶語の間で独特な響きを得ることになる。初めに引いた、リルケがその詩「詩人たちはあなたを蒔き散らした」で否定的に用いた形象「吶語 stammeln」が、神について語る本質的な形式となった。

ネリー・ザックスとの関係を扱った「チューリッヒ、鸛亭にて」の詩は、ツェランの詩としては比較的分かりやすい。一九六〇年に記されたこの詩は、ザックスと対面した際の彼女の言葉と、これを受けとめるツェランの対応を叙述する。それまでにも文通で互いの創作の近さを知っていた二人だったが、ザックスのドロステ＝ヒュルスホフ賞受賞を契機に会見が実現した。ドイツの地を二度と踏まないと心したザックスは、ボーデン湖の対岸から、ドロステ終焉の地メールスブルクへと渡る手はずであった。そのためスイスに滞在したザックスを、ツェランは訪問した。その際に、ユダヤ教とその神について語られたこと、また反論されたこと。また、その会見が、「ある」昇天祭の日、チューリッヒの大聖堂をリマト川の対岸に臨む場所で行われたことは、詩の前半の記述から窺える。

その会見では、思想家マルガレーテ・ズスマンが一九四六年に著した『ヨブ記とユダヤ民族の運命』について語られた。「多すぎること」と「少なすぎること」とは、その書の冒頭の言葉である。そして「明るさを抜けた先の翳り」はザックスの詩「ヨブ」の末尾の言葉を暗示する。「しかしいつか／おまえの血の星の像は／昇る陽のすべてを昏くするだろう」。「あなた」と「しかしと言うあなた」はマルティン・ブーバーの「対話」を示唆するものか。いずれにせよその対話は、ザックスの「にもかかわらず揺るがない」ユダヤ教の神への信仰を巡ってのものだった。ツェランはその神に反対して語った。ザックスは、これに対して敢えてもう反論はせず、むしろ自身に語るように「私たちには、何が本当かわからない」と呟いたという。詩はもともとこれを引用符付きの形で記していたが、のちにその引用符は外された。それは、その発話者をツェラン自身にも重ねることになるのか。いずれにせよ、この詩におけるパウル・ツェランの応答には、不確かで揺らいでいる心の姿が映し出されている。

3．伝統への告別・拒否

リルケからラヴァン、ザックス、ツェランと、これまで述べてきた詩人たちは、多かれ少なかれ、伝統の神への確信が揺らいでゆく過程を示していた。もちろん同じ時代に、全く別な途を選んだ詩人たちもいる。多くの詩人、作家たちが「神は死んだ」と唱えたニーチェの追随者となり、そもそも「神は存在しない」として、「神への問い」への告別を告げた。今日、多くの現代作家たちにとって、この「告別」はすでに片のついた問題であり、その創作の際に問題意識にすら上らなくなっている。大勢はそちらに移っている感があるが、それは、ここでの関心の外にある。むしろ、そのような状況下で、なおも「神への問い」を問題とした詩人たちを見てみたい。

時代的に遡るが、例えばベルトルト・ブレヒト（一八九八〜一九五六）は、「神の拒絶」を繰りかえし自らの主題とした。彼の記したすべてのジャンルの内で、詩の重要度は決して低くはない。彼はアウグスブルクに生まれ、母の影響下でプロテスタントの幼児洗礼を受けている。その一八歳の時に、「神への讃歌」（一九一七）と題して、古典的な宗教詩の表題を冠した詩を書いている。

1
暗い谷合の深みで飢えた者たちは死ぬ。
だが君はパンを見せるだけで、彼らを死なせる。
だが君は永遠の座に付き、姿は現さず
光輝ある残酷な仕方で永遠の計画の上に君臨する。

2
若者や楽しむ者たちは死なせたのに
死を欲する者たちには、君は許さなかった…
いま命を絶たれている者たちの多くは
君を信じていたし、信頼を抱きつつ死んだ。

3
貧しい者たちは貧しいままにした、幾年も
彼らの憧れは君の天国よりも美しかったから

彼らは、残念にも、君が光を帯びて来る前に死んだ
しかも幸いな死を死んだ─そしてすぐ腐敗した。

4

君は存在しないし、その方がましと言う者は多い。
だがそう嘯けるのに、どうしてそれが出来ないか。
多くの者が君から生を得て、別の仕方では死ねないというのは─
言ってくれ、何なのだその反対とは　─君が存在しないということの。

呼びかけの二人称 du（「君」と訳した）という典型的な讃美歌のスタイルを用いつつ、伝統的な神と人との関係が揶揄される。伝統的な讃美歌では、貧しい者や弱い者の嘆きや願いが述べられ、それに応えて救う神が讃えられる。しかし、この詩の最初の三連では、かねてより讃美歌に込められてきた人の期待と、それが裏切られる失望が主題化されている。祈る者の期待を裏切る神の、不公平で残酷な姿が述べられる。第四連ではそうした事態に考察が加えられるが、単なる無神論に止まらず、「隠された非道な神」、神の「悪魔性」が示唆されている。

ブレヒトは、抒情詩のジャンルでも、その最初の詩集『家庭用説教集』（一九二七）で、

宗教と市民的モラルの挑発者として名をなしたが、こうした、風刺と揶揄の鋭さは、後年にも貫かれてゆく。実は若年から親しんでいた聖書のテクストを創作の刺激として、挑発と風刺のために用い、冒瀆と皮肉を充塡する。すでにその立場が先取りされている。

表現の内容と形式の間に距離を置き、齟齬を作り出すという、ブレヒトの手法は、現代詩においては広く用いられている。言葉遊び、言葉と戯れる仕方で、神の問題が扱われる例を以下に見てみよう。ブレヒトに比べると、いささか意気地のない内容であるが。作者はエルンスト・ヤンドル（一九二五〜二〇〇〇）。一九八〇年刊行の詩集『黄色い犬』に初出の「われ貼りつく ich klebe」。一九七九年七月二〇日の日付つき、後の詩集にも改変されて載った。その最終形を引く。

われ貼りつく、全能の父なる神
天とすべての堕落の造り主に
またこの糞の中へと生まれたもう彼の息子に
息子たらんとわたし自身も夢みた、身を打ち叩いて
この汚物の海のなかから自分の口を空中に掲げんがために
また相変わらず息をつけるように、いったい何故だ。

なぜならわたしはきわまりない臆病を蒔き散らす豚野郎で
避けがたいことへと意図的に沈む才すらないのだから。

一読して瞭然、「使徒信条」のパロディである。われ信ず（ich glaube）＝（credo）の響き上の連想と、「意に反して貼りついてしまう（＝執着せざるを得ない）」という意味からの連想もあるだろう。詩人には幼少時からカトリックの信仰が染みついていた。この世界に絶望しても、臆病者で自分で自分に始末も付けられない。そのような人格と「詩の語り手（＝詩のなかの私）」とのずれが顕わになる。両者の相剋が、小文字のみで書かれた作品に映し出される。これは、今日なお宗教に止まる多くの人の心を代弁するものと言えよう。

これに比べると、ローゼ・アウスレンダー（一九〇一～一九八八）の「反・祈り」は徹底している。「主の祈り Vater unser（われらの父よ）」をパロディとした次の詩は、ブレヒトの詩法を嗣いでいる。

われらの父よ
御名を引っ込めたまえ
わたしたちはあえて

子であろうとはしない

まるで
窒息したような声で
われらの父よを唱えたり

檸檬の星を
額に釘づけられたりして

狂って月が笑っていた
われらが夢みるトラバントが
死んだ道化師が笑っていた
われらに跳躍を約束した奴が

われらの父よ
われらはあなたにお返しする

あなたの御名を
父を　なおも演じたまえ
子らの居ない
空っぽな天で

アウスレンダーは、本名ロザーリエ・ベアトリーチェ・シェルツァーとしてブコヴィナのチェルノヴィッツに生まれた。ツェランと生地を等しくする。一九二二年から一九三一年、一九四六年から一九六四年と二度アメリカに移住。最後は、デュッセルドルフのネリー・ザックス・ホームで亡くなった。彼女の詩が世に受け入れられたのは比較的遅く、一九七〇年代に入ってから。その後に評判は高まり多くの賞も得ている。ユダヤ人の出自ゆえに、迫害による避難、亡命、帰還、と絶えず故郷喪失と闘病の生涯を送らざるをえなかった。聖書のハシディズム的理解と近代の啓蒙主義的宗教批判の思想のもと、自由律で比較的短いが、形象に富んだ詩句を記した。親しんだ東方ユダヤ教の世界から、ショアーの経験と、聖書的モチーフを繰りかえし取り上げた。「われらの父よ」は晩年の一九八一年に作られ、詩集『陽が沈む（墜ちる）』（一九八四）に収められた。ユダヤ教とキリスト教がともにする「父としての神」の存在それ自体を、彼女が疑うことはなかったが、その子らの「窒息した声」はもう、その名をあえて呼ぼうとしないし、その力も無いと彼女は綴る。

神は孤独な演技者として天に独り残ると言われる。伝統の祈りに対する詩人の心の屈折が印象づけられる。

今日に近づいていけばいくほど、神を拒む詩は、軽快で軽薄なものとなり、深刻さの重みを失っていく。ウラ・ハーン（一九四六〜）の詩「感謝の歌」（一九八三）を次に引く。

あなたに感謝するわ　私を守ってくれないから
あなたを必要とするときに私のそばにいないから
私の小さな熊さんのための大空ではなく
私を支える棒や杖でもないから。

あなたに感謝するわ　すべての足蹴に対して
私にとってそれは　私を前進させたから
私の道で。私は一人で歩まねばならないの。
あなたに感謝するわ。難しくはしなかったから。

あなたに感謝するわ　あなたのきれいな顔に

私にとってはそれがすべて　ただそれだけ。
それからあなたに感謝することがないから
この詩や別のいくつかの詩のほかには。

ハーンは、一九四六年、ザウアーラントのブラハトハウゼンに生まれた。ライン河畔のモンハイムでカトリックの小市民の環境で育ち、八〇年代の初頭以降に、刊行されては賞を獲得する多くの詩集を出した。ドイツ現代詩のなかでも、多くの読者を得ている詩人である。彼女は自ら、カトリック教会に多くの恩義を負っていると告白する。その詩には聖書や神学への暗示が頻出し、世俗を越えたことへの憧れや愛の歌を多く記している。すでに第一詩集『頭より心』（一九八二）で評判を呼び、その後は小説でも賞を得ている。「感謝の歌」は発表と同年に刊行された『Spielende「遊ぶ（戯れる）人たち」とも「戯れの終わり」とも訳せる』（一九八三）に収められている。

この詩の「あなた」とは誰か。「棒や杖」という句は詩篇二三篇四節を連想させるので、「感謝」は神に向けられているようにも見える。一方、「きれいな顔」は世俗的な、夫婦や人生の伴侶を思わせる。言葉は二つの次元の間で「戯れている」。いずれにせよ、「守り」「庇い」といった、「助け」「支え」が、感謝の根拠とはされない。この詩では、そのような、負い目のない、自由な関係こそ、神との在るべき関係として指し示されているのか。そのような「解放された」関係が、現代社会の人間関係だけではなく、神と人との関係にも望ましいというのだろうか？　だがそれは、現代人の神への無関心と紙一重にも響く。実際、多くの現代詩人たちの創作意識にのぼる「神への問い」はこの次元のものであろう。「詩のなかの〈私〉」と詩人自身との間にはどれほどの距離があるのだろうか。いずれにせよ、この詩からは神へ向かう垂直的な志向は全く感じられない。むしろ、読者の前で言葉を操る楽しみが、この「戯れ」からは響きだしてくる。

4.「にもかかわらず」・黙することに対する抵抗

最後に、そのような状況の中で、沈黙することをせずに、なお語ろうとする試みに注目したい。神に対する関係を言葉で言い表す基本的な形態、すなわち「祈り」は、初めにふれたように、「讃美」「願い（請い求め）」「感謝」という三つの様態から成る。それらの言葉が発せられるのは、本来、神の絶大な力や恵みを前提とし、それを身に覚えのあるものとして受けとめた経験に基づいている。直前に挙げた「感謝の歌」では、その様な深刻な経験の基盤が薄らいでしまっている。その言葉は、ある意味で時代の大勢と共通する気分に浸っている。身近な現実が、どこか不確かで疑わしく思われても、深刻な嘆きの言葉は語られない。そのような、自己と世界についての理解のもとで、なお何かを望むことが可能か。換言すれば、言葉の「受け手」としての神の位置が実感され得ないときにも、何かを「願う」言葉は、黙するのではなく、祈りの言葉となり得るだろうか。

その様な問いを、ヒルデ・ドーミン（一九一二〜二〇〇六）の詩「ワレラヲ救イタマエ」（一九六四）は我々に突きつける。

1

今日われらは呼ぶ
今日われらは名指す。
ひとつの声が
ひとつの言葉を言う
起こったそのことを

われらの内に立ちのぼる風のそよぎで
ほかならぬわれらの吐息で
母音と子音を
ひとつの言葉へと結びつつ

ひとつの名を

それは抑える
抑えがたいものを
それは強いる
心拍ひとつの間に
それはわれらのものだと

2
われらの自由とはこれ
正しくその名を呼んでいること
恐れることなく
しずかな声で

互いに呼び交わしつつ
しずかな声で
呑み込むものをその名で呼んでいる

他ならぬわれらの吐息で
「獅子ノ口ヨリワレラヲ救イタマエ」
おおきく開かれたその口
われらは余儀なく
そのなかに住んでいる

ヒルデ・ドーミン自身は、ホロコーストの苛酷な現実を逃れて生きのびた一人である。ケルンでユダヤ人の娘として育ち、一九三五年には若くして政治史の博士号を取るなど、才能豊かな女性であった。しかし、ナチスによって亡命を余儀なくされ、中米ドミニカ共和国に移住する。中部アメリカの地からナチの蛮行を見つめ続けた。亡命の町サント・ドミンゴの響きを、その筆名にした。二二年間の亡命生活を経てドイツに帰国、一九六一年からハイデルベルクに住む。それ以降、遅ればせながら、発表されるごとに彼女の詩は注目を集め、ひろく影響を及ぼすようになった。迫害、亡命と、絶望の内に生きのびるための最後の願いと望みの言葉、それは彼女の親しんだ言葉だった。この詩「ワレラヲ救イタマエ」は、ドイツ帰国後の一九六二年から一九六四年の間に「扉の上にどんな徴を記そうか」という表題の元に成立した一連の詩のうちの一つ。

一読して謎の残る詩である。「呼び」「名指す」対象が何か分からない。また、その行為の意義づけも不明である。かろうじて「風のそよぎ」「われらの吐息」が聖書の霊を連想させる。「抑えがたいもの」「呑みこむもの」「獅子の口」は、危機や怖ろしい出来事を示唆している。「起こったそのこと」とは、恐らくホロコーストの現実を指すものであろう。「われら」がそれを正しく名指す時には、その「呑み込むもの」を抑えるとされる。ラテン語で記されている祈り求めは、詩篇二二篇二二（二一）節の主語を複数とした引用。また、獅子の牢に投げこまれたダニエルを示唆する。「呑み込むもの」すなわち「大きく開かれたその口」の中にわれらが「住んでいる」ことの関連が隠されているので、謎は最後まで残る。ホロコーストの現実と、本来名指されるべき神の名が重なってくる。ネリー・ザックスの「隠された神」と響き合う事態がそこに示唆されているのか。祈りの言葉はラテン語で記されている。伝統の祈りにおける神の名の位置が曖昧となった時代に、誰に何を願ったらよいのか分からない現実の実相を、詩はそのような形で言い表している。「にもかかわらず」祈られる。沈黙ではなく、祈らねばならないと。

次に、このような曖昧さを排したところ、宗教批判が徹底され、「神の死」が国家の統治体制（レジーム）として告知される場で、なお祈りの言葉が可能か。可能であれば、そこでの「神への問い」が如何なるものとなるかを見ておきたい、その格好の例を、ライナ

ー・クンツェ（一九三三〜）の詩、「逃れ場のなお向こうの逃れ場」（一九七一）は、語ってい
る。この詩には「ペーター・フーヘルのために」との献辞が付されている。

ここでは招かれぬ風だけが門扉を吹き込んでくる

ここでは
神だけが呼びかける

数えきれぬ導管を彼は施設している
天から地に向けて

空いた牛小屋の屋根から
空いた羊小屋の屋根へ
木の雨樋を抜けてけたたましく
雨が流れる

おまえは何をしている、と神が問う

主よ、私は言う、降っています
雨が、何を
すべきと言うのですか

そして彼の答えは生い育つ
すべての窓をとおり緑に

東独の体制下で、神、また主、とはっきりと記した作品が記されたこと自体が、驚くべきこととしてまず注意を引く。これを記した詩人ライナー・クンツェは東西ドイツの国境に近い、エルツ山脈のエルニッツに生まれた。ライプツィヒで哲学等を専攻したが、博士課程の修了以前に政治的な理由で学業を放棄した。様々な仕事を転々とした後、一九六二年以降は在野の作家として執筆活動に入ったが、つねに監視下におかれた。神経を磨り減らす交渉を経て一九七七年にようやく出国が認められ、以降はオーストリアとの境の町パッサウで暮らした。この詩は一九七一年に成立し、後に名をなした詩集『室内音量』(一九七二)に収められた。

この詩には「ペーター・フーヘルのために」という献辞が付されている。一九七一年という年は、クンツェの友人フーヘル（一九〇三〜一九八一）が彼に先んじて西側への出国が許された年である。フーヘルは、第二次世界大戦終結後、東ドイツが国家として形成されていく際に、その文化政策の中心の地位に任ぜられ、作家や詩人たちから希望を寄せられた人物である。久しく「意味と形式」という文芸誌の編集者を務めたが、政治体制への安易な迎合を好まぬ姿勢ゆえ、当局の不興をかって一九六二年にその任を解かれた。以降は、ポツダム近くの農家で軟禁生活を送る。たえず監視下におかれたその生活は、外との交渉を断たれ孤独であったが、生活それ自体への拘束はなかった。それ故、すべての自由を断たれた「監獄」ではなく、フーヘルの「逃れ場」と、友人のクンツェは呼ぶ。そして「逃れ場のなお向こうの逃れ場」は、詩の中にはっきりと「神」と名指されている。風しか訪れぬこの処で、ただ神だけが呼びかける。天から地への無数の導管を通じて。この詩では天地を結ぶ軸が明示されている。垂直に降りしきる雨の軌跡。そこに詩人はフーヘルとともに、神の問いかけを聞く。困窮の中でその声ははっきりと聞き取られ、信頼において速やかに問いかえされる。その対話の中で、神の応えもまたみどりなす自然の繁茂として、このうえなく明確に受けとめられる。神無き世界に記された力強い現実として。またこれを知る確信として、神を仰ぐ垂直の軸は、公的な禁止のもとでも「逃れ場」として再建される。その確信の言葉は、信仰の自由が溢れている地にまして力強い。

最後に、一般の意識となった神への無関心のもとで、名指しがたくとも、経験的なものを越えてゆく何かへの深い憧憬の存在について証言している一編、「不在こそあなたの本当の姿」を挙げる。

不在こそ
あなたの本当の姿
そこに私はあなたを見いだす
私の憧れの
釘は
引っかくことで血を流している
世界の
氷の海で
炭化している　わたしの探求の
欲望は
その冷たさのなかで
だがそこにあなたはいる
そこに

子どもが叫んだときから
羊たちのもとに
そして炎々と
燃えている
私にむかって

作者は、ジリア・ヴァルター（一九一九〜二〇一一）。父は、スイスの有名な出版社社主にして、カトリックの厳格な家父長的存在であった。多くの姉妹たちとともに成長したが、二九歳でチューリッヒ近くのベネディクト修道院に入る。詩や宗教劇、オラトリオ作品などを著して、詩作をする修道女として知られるようになった。彼女には唯一人九歳下の弟オットーがいたが、彼は、宗教には関心を抱かず、社会主義的な政治志向に共鳴を示していた。彼とは二〇年に亘って音信を交わさなかったが、一九八二年に、彼女はこの弟とのラジオ対談に出演。放送は大きな関心を呼んだ。この対談は一年後に、『一つの島を見出す』との表題で出版された。オットーが、神の経験は不可能と述べたことに対して、彼女は、絶対的なことの叙述はできないけれども、新たな像、象徴を見出そうと努めていると語った。この対話が契機となって、彼女は自ら語ったことの実現に努め、詩集『火鳩』（一九八五）を出版。収められた詩にはどれも表題はない。「神」という言葉に手垢がついて、すでに人の心に感動を呼ばなくなってはいても、人間の心の中には、この概念に代わる何かを求める抑えがたい希望の場があることを、この詩は示唆している。概念としての神が力をもちえない時代に、しかし、その「不在Ab」は、やはり「存在Wesenの一つの姿」とこの詩は語る。その場所は、ともすれば、人の心の中で冷えて、炭化してしまうが、「火鳩」すなわち聖霊の焔によって、たえず新たに火を灯される。詩人の想像力はこれを受けとめて、言葉の像にそのつど止めていく。モーセが目の当たりにしたように、その柴はいくら燃えても、燃え尽きることがないと。

4. 章の結びに

初めにまずリルケに言及して、そこに現代詩の重要な起点を見定めた。その後で、現代詩の様々な書き手の「神への問い」を見てきた。そのいずれも独自な局面を示す作品であったが、その多様な姿を確認する一方で、そのいずれの姿も、リルケが辿り得たような巨人の歩みを、辿ってはいないという印象を持つ。そこには、個々人の歩みを困難にした、二〇世紀という時代の制約が大きく働いている。しかし、宗教と並び立つような言葉を立てようとしたリルケのような途を、現代詩の詩人たちは、もはや自らに望まなかったということもできよう。詩人の幸いは、生のゆたかな歩みではなく、あくまでも言葉の担いうる真実であり、それは、全く正反対の途においても成り立つ。言葉の存立そのものが詩人の支えとなる。そこでは、言葉は、孤絶な存在ではなく、担ってきた伝統を伴って立ち現れる。ツェランの詩集『言葉の格子』（一九五九）に収められた一編「テネブレ」の冒頭の言葉は、その消息を告げてくれる。

われらは近い、主よ、
摑めるほどに近い。

すでに摑まれている、主よ、
互いに深く絡みあって、まるで
われら各々の体が
あなたの体であるように、主よ。

祈れ、主よ、
われらに祈れ、
われらは近くにいる。

撓められてわれらは進んでいった
われらは進んでいって、身を屈める
窪地へ　開いた火口へ。

水飼場へとわれらは進んでいった、主よ。

それは血だった、それは
あなたが流したもの、主よ。

それは耀いた。

それはわれらの目にあなたの像を投じた、主よ。
目と口はうつろに開かれている、主よ。
われらは飲んだ、主よ。
血を、そして血の中の像を、主よ。

祈れ、主よ。

我らは近くにいる。

「我らは近い、主よ」、これは、ヘルダーリン「パトモス」（一八〇二）冒頭の換骨奪胎である。「近くにいまし、だが捉えがたきは神」。ヘルダーリンはさらに歌い継ぐ。「危険のいやますところには、救いの力もまた育つ」。これはさらにローマ五章二〇節の換骨奪胎。「されど罪の増すところには恵みもいや増せり」。現代詩の言葉の力の一つの源を暗示する。現代の状況が的確に描き出されるとき、それはより旧い言葉によって支えられている。とすれば、忘れられてならないのは、この旧い言葉にもう一度耳傾け、その語り出された意義を学ぶこと。そのような観点で見直すとき、現代詩には現代詩なりの意義と役割がある。

七、詩のなかの「私」——ベンとエリオット

1.「抒情詩のなかの〈私〉」とは

詩の人称の問題について、いまいちど考えてみよう。右に、「抒情詩のなかの〈私〉」と記した。これは「Lyrisches Ich」の訳語（直訳は「抒情詩的私」）である。「Lyrik 抒情詩」とは元来「リラ」という弦楽器の名に由来する語で、伴奏しつつ詩を歌う吟唱詩人の職分と密接に結んでいた。ドイツ語で抒情詩は、叙事詩、劇詩と並んで、すぐれて詩人の内的情緒を表現する文学類型とされる。現代日本では、総じて「詩」という言葉が、そのような類型を指して用いられる。ゆえに、「詩のなかの〈私〉」という表現を用いる（前章ですでに用いた）。この表現自体はもともと文学研究の術語である。かつて詩人の伝記研究が文学研究の中心だった時代から、作品の内的解釈が要請される方向に推移すると、「詩のなかの〈私〉」もまた注目される主題となった。「詩のなかの〈私〉」を示す一例としてア

イヒェンドルフの「ルイーゼに」を挙げる。

私はあなたを歌に綴って幾度でも讃えたい、
世にたぐいなき静謐のひとよ、［…］
だが、いざ詩の筆を執ってお前を見つめると
麗しくも穏やかに　おまえは静かな憂いの姿で
子供を腕に抱いて私の前にすわり
青い眼にはいつまでも誠実と平和が湛えられている
そんなあなたを見ると、もう私は何もかも投げ捨ててしまう──
ああ、神を愛する者に、神はかくもすばらしき女性を与えられた。[*1]

ここで「私」は、詩を書かないと言っている、ところが、それが作品になっている。詩作品のなかで「私」と語っている者は、詩の作者（詩人）と必ずしも重ならない。作品としての詩が、そのまま詩人の告白ではないことが分かる。

詩人が「私」と言わないこともある。「旅人の夜の歌」で、ゲーテは自分に「おまえ」と呼びかける。「待てしばし、おまえもまた休らうだろう」。このように、「詩のなかの〈私〉」が自己から距離を取る二人称の例は古くからあり、例えば讃美歌「装いせよ、汝、わが魂

よ」にも見られた。散文では「私」の代わりに「我々」を用いる論文など、文体上の人称については、古くから技法として自覚があった。小説の場合、「語り手」と作者が同じではないことはもっと明らかで、読者はそれを当然と心得ている。これは、三人称小説のみではなく「私小説」の場合にもあてはまる。詩だけが例外ということはない。日本の戦後詩にも「詩のなかの〈私〉」を逆説的に用いた表現がある。田村隆一の「帰途」から引く。

言葉なんかおぼえるんじゃなかった
言葉のない世界
意味が意味にならない世界に生きていたら
どんなによかったか[*2]

ここではまだ「私」という言葉は直接出てこないが、この詩を語る「詩のなかの〈私《ぼく》〉」は、その表現に込められたイロニーを自覚した詩人のレトリック人称として、やはり詩人自身の告白とは区別される。

こうして見てくると、詩は必ずしも詩人の直接の告白ではないということは肯《うけが》うに充分であろう。にも拘わらず、今日あいかわらず一般には、詩作品の中の「私」は詩人と同一視されるのが普通であるし、詩人もまた、自分が語り手として、一人称で己が思いの丈を語ること（「私的抒情詩」）が詩であると、あたりまえのように考えている。「詩のなかの〈私〉」という術語においても、「私」が詩の成立の出発点であるし、詩作という行為の中心であることに変わりはないので、これが私的抒情詩の氾濫とは一線を画するものと認識されないのは仕方がないのかもしれない。そうした混乱にはどのような事情、背景があるのか、以下にまず考察してみたい。

2. 「私」の意味について

詩における私的抒情詩の氾濫と述べたが、外国文学者の立場から振り返ると事態は必ずしもそうではない。ギリシア・ローマに例を取れば、ホメロス、ヴェルギリウスの叙事詩、ピンダロスの讃歌、さらに悲劇・喜劇と時代を追って総ての文学類型が現れる。サッポー、アナクレオン他の抒情詩の登場は比較的遅い。ヘブライの讃歌、嘆歌においても、共同体がともに担う言葉が先だっている。ヨーロッパは、この両者の詩の伝統を引き継いだが、近世に入っても、ルターから発したドイツ・コラールに例を見るように、信仰詩はまず共同体の歌として出発した。「われ」の深い体験から汲まれても、「われら」の歌として創出される。「私の詩」が自覚されるのは、信仰詩から世俗詩への流れのなかで、ようやく近代の始まりに至ってである。これはデカルトの「我思う故に我あり」に発する思想的展開と軌を一にする。

古代においては、世界（宇宙・コスモス）が秩序の中心であり、世界の中に生きる人間のもとへと神々もまた訪れてくる。中世は神中心の秩序であり、世界も人間もその被造物と位置づけられる。神は世界を超越し、その外に立つ。近世・近代において、そのような世界から人間は自らを切り離し、世界を、また神までも基礎づける中心の位置を獲得する。これは、それまで共同体と密接に結んでいた芸術が、共同体と別れ、独り立ちするのと軌を一にする。そこに、芸術の作品化が生じたが、それは芸術の孤立化をも意味した。それまでは建物の一部を構成した絵画・彫刻は、その背景から切り離され、美術館においてのみ鑑賞される。儀式・礼拝の一部だった音楽は専ら演奏会場において楽しまれる。

詩もかつては、共同体に仕える歌として、例えば讃美歌の言葉は、人間存在の全ての局面を表現していた。しかし個の覚醒は、信仰をも自らその領域を狭める方向へ変化させる。信仰詩の表現できなくなった主題は、むしろ世俗詩へわたされた。ドイツ詩の場合、今日的な抒情詩がうまれるのは一八世紀。最大の抒情詩人はゲーテで、自然との共感とともに表現された命の充溢がその詩を特徴付ける。私（わたくし）的な、その都度の機会に書かれた詩が、ある種の普遍性をおびる。ゲーテに象徴される転換点を経て、まさに「私」が詩作の起点・中心として文学の領域で脚光を浴びるようになる。だがこの「私」への収斂は別な側面もあわせもつ。「私」の両義性ということが言われねばならない。

時代は、市民社会という基盤に自然科学的世界観が行き渡っていく頃。自然科学を範とし、人間は、理性の尺度で世界を基礎づける主体として（「主体的 subjektiv」に）、世界の客観的叙述を推し進めていった。合理性の尺度によって、世界は客観化される。筋道だった平板さが、市民社会的な価値となる。そこに主客の顚倒がおこる。主と客、主人とお客の逆転が生じるのである。客観化された世界の尺度で測られるとき、必ずしも合理的ではない人の心は疎んじられる。人間精神の内面的深みは、あいまいで「主観的 subjektiv」なものとして世界の中心の座を逐われる。主人であったはずの人間が、お客だった世界から締め出され追い出されるのである。所謂「疎外 Entfremdung」という事態がそこに生じる。すぐれて内面的な存在として詩人はそれを敏感に感じ取った。これに対する文学の側の対応としては、自然世界を基礎づける客観性の尺度を用いて市民社会の現実を客観的冷静に叙述していく散文作品が生まれたが、この「写実主義」において、叙述者の内面性はかろうじて確保されることになった。

一方で、いやむしろ軽んじられる内面性にあえて固執する立場も生まれた。「ロマン主義」の文学であるが、しかしそれは世間から見れば独りよがりの世間知らずと映ったかもしれない。シュピッツヴェーク（一八〇八〜一八八五）の絵「貧しい詩人」には、社会的に孤立し、内面へと逃避する詩人の姿が、ユーモアたっぷりに揶揄されている。後期ロマン主義においては、ホフマン（一七七六〜一八二二）の『黄金の壺』のようにそのような詩人の立ち位置を自ら意識する作品も現れた。だがロマン主義詩人の内面への撤退は、その起点においては、芸術的営みとして、また言語の方法としてめざましい深まりと進展を示すものであった。その方法意識は「ロマン主義イロニー」として表現されるが、そこには「ドイツ観念論」の哲学に通底する知的自信を窺うことができる。「考える」という行為（＝「反省 Reflexion」）は、もともと光学的な概念で、光の「反射 reflektieren」をイメージするものである。自己の前に鏡を立てると、鏡に映された自己によって自己が二重化される。さらにもう一枚、自己の後ろにも鏡を置くと、自己は累乗され、ついには無限化される。想像力とは、「鏡の中の鏡」に自己を映し続け、自己の内面性を無限に拡大していく運動とされた。この「自己の無限化」の行為と、卓越した個性としての「天才」や、その営みとしての「創造」の概念、また「オリジナル」な作品という思想は密接に結びついている。いずれもこの時初めて、時を等しくして産まれたのである。今日、文学芸術において何よりも大切とされる「個性」と言うことは、ロマン主義以来の概念である。文学・芸術作品の自立の思想は、ドイツ語圏に留まらない。フランスではマラルメ他の詩人が詩の中心を形式に置く芸術至上主義を唱えたが、これも斉しい思想圏内の出来事と見なせる。これが一九世紀のヨーロッパの思想・文学を規定し、明治維新とともに日本に輸入されたヨーロッパ文学の背景をなした。「詩のなかの〈私〉」という主題は、このような詩の主体、詩的自我の展開と深く結んでいる。

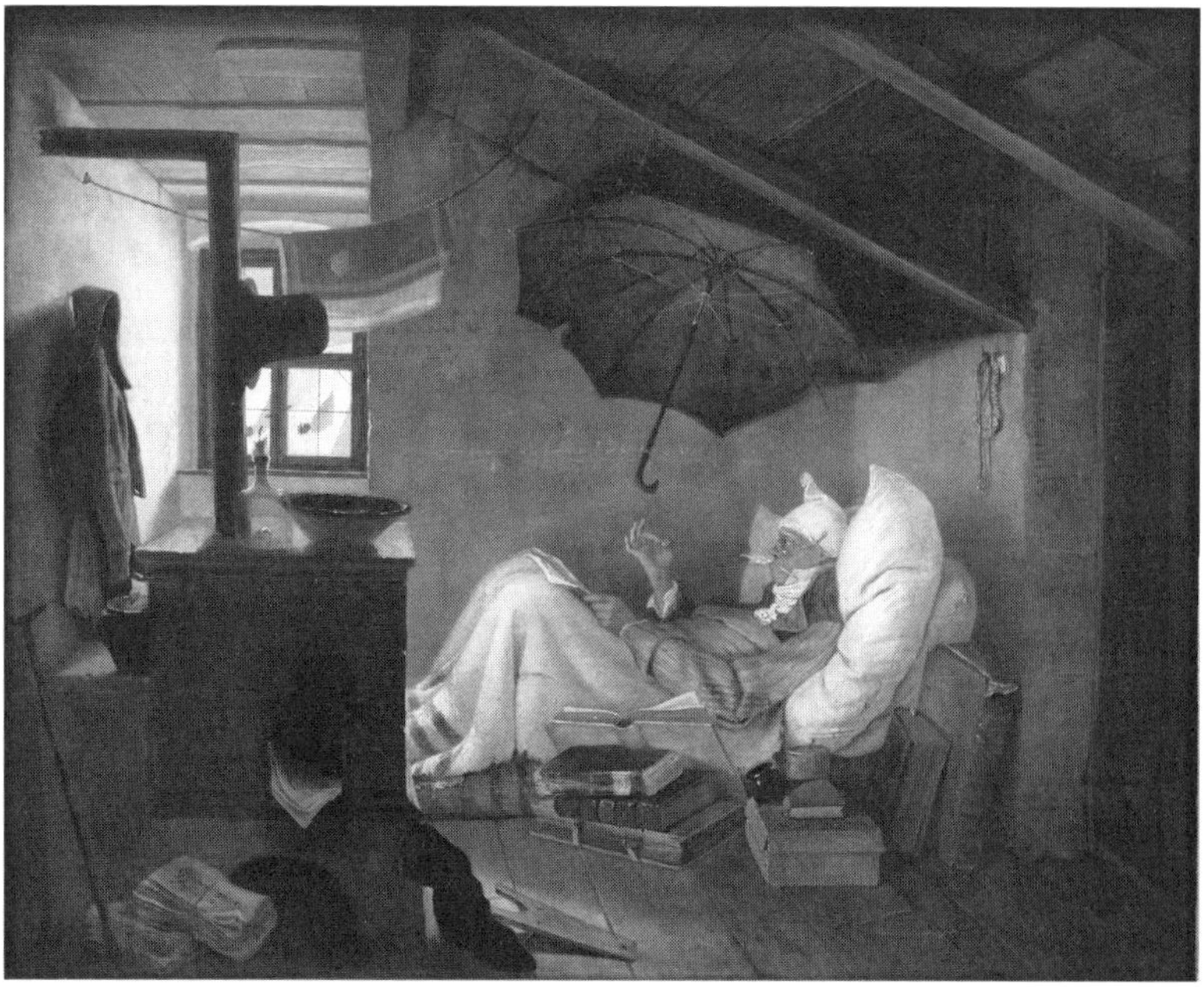

カール・シュピッツヴェーク（1808 — 1885）「貧しい詩人」

3．ベンとエリオット

その意味で次に、「詩のなかの〈私〉」についてはっきりと述べている、ゴットフリート・ベン（一八八六〜一九五六）の講演「（抒情）詩の諸問題」を、一つの典型として取り上げてみよう。*3 ——そこで「詩のなかの〈私〉」という術語は、むしろ「詩的〈我〉」あるいは「詩的自我」と訳した方が分かりやすいかもしれないが。

ベンはまず言う。製作プロセスへの関心こそが、現代の「詩的〈我〉」の切実な「独白性《モノローグ》」を表現するものであると。その上で、詩の成立過程を以下の三段階に跡づける。

第一は、「おぼろげな創造的胚芽」あるいは「心的素材」の次元。すなわち、内面の声としての動機・主題である。

第二段階は、「意のままになる言葉を持っている」こと。この段階での孤独な推敲の過程こそが、とりわけ現代においては「詩的〈我〉」の独白的なあり方を規定すると彼は言う。

第三段階とは、「すでにできあがっている作品へ」到達すること。詩人（すなわち「詩的〈我〉」）は、その製作過程においては自分自身のテクストをまだ知らず、彼にとって自分の作品は「謎」でありつづける。だが、できあがった完成作品は、既にそのとおり初めからあるのであり、詩作とはそこへ帰着することだとベンは言う。「形式こそが詩」であり、

「形式を与えることが詩作」であるという彼の芸術至上主義的な立場が明確に表明されている。

だがここで注目すべきは、ベンが冒頭、また第二段階に関して「現代詩の独白《モノローグ》的傾向は疑う余地がない」と述べていることである。詩とは「誰にも宛てられていない」絶対詩であり、己以外の何者にも支えられていないと彼は言う。芸術至上主義的な立場から、詩は専らミューズに宛てられている、すなわち誰にも宛てられていないと述べ、この「私以外の誰も耳を傾けることのない声」に耳を傾け、これに形を与えることが詩作の営みとされる。前節に辿った世界や人間の位置の変遷に翳すとき、ベンの立処は意外と分かりやすい。「対話などはすべてたわごとであり、人類は幾ばくかの自己との出会いを糧に生きている」。疎外され、自己を喪失した人間の、主体回復の営みを、すぐれて体現する存在こそが詩人なのである。「詩的〈我〉」の単独性を顕揚し、その絶対的自律性こそが現代詩の課題だと述べるとき、詩作品の成立と同時に確立される「詩的〈我〉」こそが、自己回復の刹那に他ならない。だがこれは、今日ある意味では、耳馴染んだ言い回しではないだろうか。そこには、極限化されているとはいえ、氾濫する「私的抒情詩」、またその対極としての芸術至上主義、そのいずれにも通底する動機が表明されている。

T・S・エリオット（一八八八～一九六五）は、その講演「詩の中の三つの声」（一九五三）において、ベンの講演を受け止めた。ベンが「謎」と述べたことをパラフレーズしつつ、表現の持つパラドクスについて、すなわちその二つの声について述べる。[*4]

第一の声とは、ベンの固執するその声である。詩人は、自分を突き動かす「もの」に憑かれて、書いているときには何を表現しようとしているか知らない。書き上げたときに漸くその「もの」は消え失せる。詩人が「デーモンに憑かれている」と言われる所以である。詩作とは「自己治療の」プロセスであり、「デーモンからの自己解放」「悪魔払い」として、専ら詩人個人のための営みである。詩人は、聞かれることを求めていない、聴衆の存在など考えないと、ベンを肯う。

ただし、エリオットはさらに、二つめの声として創作過程のもう一つのモメントを指摘する。「ただ作者のためだけに存在するような詩は、断じて詩ではない」。「作者が、完成前にその批評に委ねたいと思う少数の読者は居る」。作者も気づかなかったことを指摘してくれるその人々の背後に、詩人は、より多数の未知の聴衆を意識している。その人々に手渡されたとき、創作のプロセスは完成する。エリオットは、「言葉」という「場」における他者との出会いを示唆し、詩は必然的に公共的な言葉によって書かれるとするのである。ベンの言う「誰にも宛てられていない詩」にも、詩人が専心する自己治療と、その公共化という二重の目的因があるとされる。「読者には、自分たちに宛てられていない言葉を盗み聞きする楽しみがある」。

結論を先取りして言うならば、詩を書くこととは、「私」が「デーモン」に名を与え、他者の読みうるものにすることであり、そのようにして「私たち」の「場」を目指す営みということになろうか。「私」の魂をゆさぶる「呼び声」に新たな「私たち」の場を作ることによって応える。だが、性急に結論を急がないことにしよう。エリオットは、詩人は声を「聴く」者であり、声そのものを創造（捏造）することはないと言うが、ベンやエリオットと、具体的なこの「私」には共通にしているものとしていないものがある。振り返ってみると、一九世紀から二〇世紀へ、ヨーロッパ近現代詩がともにした課題とは、個と向かい合って、向こう側から個を支えてくれるような強固な世界の喪失という現実であった。失われた世界、あるいは失われつつあった世界とは、かつてはコルプス・クリスティアーヌム（キリスト教世界）と呼ばれた。神に向かうとき､個は無なる者としてかえって、自らの存立と平安を確立しえた。そのような共同体が崩壊に瀕していたとはいえ、暫くは自然などそれに代わるもの、あるいはそれに対決する負の形にすらその「場」を与えて、個は自らを支えることが出来た。ニーチェやベンのように、「虚無」ですらもそれに代わる名となり得たということである。彼らの孤絶は深いが、辛うじてであれ彼らにとって「場」は堅く保たれてきた。伝統を異にする日本の場合に、それが言えるのか。

4．日本文学と現代

エリオットに対して山本健吉は日本文学の立場から深い共感を示した。彼は、『古典と現代文学』の序章「詩の自覚の歴史」において、「日本の詩の抒情詩性」ということを述べている。柿本人麻呂、世阿弥、また芭蕉といった詩人たちはそれぞれ、民衆に根ざした基盤のなかで、多様な可能性を胚胎する言語の共同体的営みの中から新様式を生み出した。彼らは開拓した新様式を自ら大成することによって大詩人と称えられたが、その新様式はその後、跡を継ぐ人々によりいっそう洗練の度を深めていく。しかし、専ら一人称抒情詩に向かうその洗練は、その最初の共同体からの離脱のゆえに、生の基盤から切り離され、もはや様式そのものをも変革するような起爆力を備えることはなかった。最初の開拓者が持した生の充溢からむしろ離れゆく洗練への志向を、山本は「日本の詩の抒情詩性」と名指すのである。*5

日本文学史の長い過程を辿ることは、筆者の能力を超えるが、本稿においては山本の指摘を近現代詩のスパンにおいてのみ受け止めなおしてみたい。山本の言う「一人称抒情詩」に向かう洗練は、これまで述べてきた「詩のなかの〈私〉」あるいは「詩的〈我〉」に響き合う関係にあるとは言えまいか。問題は、近現代詩がヨーロッパ詩の刺激を受けて歩み始めたとき、その「詩のなかの〈私〉」あるいは「詩的〈我〉」をめぐる思考はどのように受け止められたかということである。明治維新以降、ヨーロッパ近代の思想・文学を模倣的に受容した際に、その「詩的〈我〉」の問題はほとんど見過ごされ、「私」は安易に、素朴な一人称的自己の情緒性と同じものとして、ただ形だけが受容されたのではないだろうか。明治維新以降に出発した日本の近現代詩が、古来からの、無常な時の変遷と自然の移りゆきに容易に自己を重ね、場合によってはそのような伝統観に容易に流されて自己同一化してしまう。そこには、一人称的自己の確立とは別の消息があり、それは日本的抒情の脆弱さとして先の戦争で露呈された。それは、日本の近現代詩が伝統の「一人称抒情詩」の延長上にあって「私」は、強烈な他者との対決による自己の自覚を経ておらず、またそのような対峙者の喪失への危機を知らないからではないか。だが、その責は日本の近現代詩だけに問われるものではない。受容の範とされたのは専ら「ロマン主義」を経て以降のヨーロッパ文学であった。前述のようにその志向は「個性」であり、失われゆく共同体の支えを補う主体回復の営みとして「自己の無限化」を標榜していたのである。これは日本伝統の情緒的洗練と親和的に結びうるものであった。キリスト教詩人に数えられる八木重吉また山村暮鳥にも、最終的には一人称的抒情の隘路を感じる所以は、彼らが受けた「ロマン主義」の洗礼によると筆者は考えている。

ここで現代詩のさまざまな模索を逐一跡づけることはできないが、意識の有無は別として、相変わらず「詩的〈我〉」をめぐる状況があると筆者は考える。芸術至上的な自我の赤裸々な主張から「私的抒情詩」の曖昧な自己表出まで多様な景色が広がっている。「自己表出」と記したが、これは「指示表出」とともに、吉本隆明『言語にとって美とはなにか』の冒頭に出てくる術語である。いずれの「表出」においても、まず「私」が矢印の起点とされていることは象徴的である。詩や文学の出発点として、ここにも「私」が指し示されている。だが本当に「私」だけなのだろうか。

「詩のなかの〈私〉」あるいは「詩的〈我〉」の問題を現代の主題として再度取り上げるために、ヨーロッパ文学における現代の出発点を別な観点から見直してみよう。S・キルケゴール（一八一三〜一八五五）の『死に至る病』は、文学の書物として手に取られることは稀であるが、その中には「可能性の絶望」「無限性の絶望」という術語で、ロマン主義批判を述べた部分がある。先に「ロマン主義イロニー」として、「鏡の中の鏡」に自己を映す手続きについて述べた。これは人間の想像力の働きを指すものである。この力によって「自己の無限化」が達成されることをロマン主義は夢見た。「想像は一般に無限化作用の媒体である。… 一人の人間がどれだけの感情を、どれだけの認識を、どれだけの意思をもっているかということは、彼がどれだけの想像をもっているかということに、… かかっている。想像は無限化する反省である」。想像力によって、個性を拡大し、自己の無限化を実現することができるとロマン主義は唱えた。「想像力 Einbildungskraft」とは、文字通り「内に ein-」「像 Bild」を作り出す「力 Kraft」であり、イメージを駆使する能力である。想像力の意義を否定する者はいないであろう。だがそれは本当に、無限化することによって自己を実現するものなのだろうか。キルケゴールは「想像はあらゆる反省の可能性であり、そしてこの媒体の強さが、自己の強さの可能性なのである」と述べる。だが一方でまた「想像的なものとは、人間を無限なもののなかへ連れ出して、だんだんと自己自身から遠ざけるばかりで、人間が自己自身に帰ってくることを妨げるものである」と指摘する。「必然性」また「有限性」を無視した想像力の駆使によっては、自己が「希薄」となるばかりである。キルケゴールはそのような「自己喪失」の有様を、森の中で迷子になる騎士のイメージで描いている。「童話や伝説の中によくこうゆう物語が出てくる。或る騎士がふと一羽の不思議な鳥を見つけて、それを捉えようと追いかける、…しかし追えば追うほど、鳥は先へ先へと飛んで行く、そうしているうちに夜となり、彼は、迷い込んだ荒野のなかで帰路を見出すことができず、すっかり途方にくれてしまう」[*6]。

「死に至る病とは絶望のことである」。「絶望 Verzweiflung」とは、文字通り「ふたつ zwei」のものの関係が失われて「分裂してしまう ver-」事態を示すものである。「可能性の絶望は必然性を欠くことである」との章題から明らかなように、キルケゴールは、ロマン主義的な自己の無限化は、有限性を無視した自己喪失であると指摘した。「必然性」を欠いた「可能性」の自己拡大は、自己の希薄化を招くばかりであると。ノヴァーリスの『青い花』は、初期ロマン主義を代表する探索の物語であるが、帰還の主題を提示しつつも、叙述が停滞し、ついには未完に終わったのは、このような事情と無縁ではないのではないか。眼を現代に向けてみよう。ミヒャエル・エンデ（一九二九～一九九五）は、子どもの本の作家と見なされているが、『はてしない物語』において（果てしない＝無限）、まさに想像力の働きそのものを主題とする物語を展開した。主人公の少年バスティアンは、お話の国（ファンタージエン、すなわち「想像力」の国）に招かれ、初めは武勇を重ねるものの、ついには想像力の可能性の中で迷い、帰還する意志すら失ってしまう。エンデは、まさにキルケゴールの指摘する問題を現代の状況の中で取り上げたと言えるだろう。現代は、イメージの時代と言われる。言葉は画像に追い越され、想像力を掻き立て、自己を豊かにしてくれる媒体が次々と提供されていく。主題としてファンタジーが流行り、物語りも次々と映像化されていく。「ハリー・ポッター」の流行に見られるように、これは世界に共通の文化的現象である。自己像の希薄になったイメージが、次々と流れ去っていく。だがそこに、「私」はどのように関わるのか。

5．人称ということ

「無限性の絶望は有限性を欠くことである」。キルケゴールは、近代的人間の主体回復の希求そのものに込められた、関係の顚倒（倒錯）を絶望と表現した。その指摘の射程は人間と歴史の全般に及ぶ。ここでは、「詩のなかの〈私〉」との関連においてのみ取り上げた。詩人の存立は、詩作の営みによってのみ基礎づけられる。詩の成立するとき、「詩的〈我〉」として詩人は自己を確保する。それはベンの述べるとおりであろう。しかし、「詩のなかの〈私〉」の包含する問題はそれだけだろうか。「詩的〈我〉」としての主体確立が、時代（ことに近代）の人間観に規定された問題設定に過ぎないことも見てきたが、そうであるならば、「詩のなかの〈私〉」は更に広い内容を含みうるであろう。

詩が受け止めてくれる聴衆を求めて差し出されているというエリオットの示唆を顧みるならば、「詩のなかの〈私〉」はそのような声をも意識した「私」なのである。日本文学史を振り返るとき、詩的洗練が狭い意味での「一人称的抒情」への集束を意味するという指摘は、むしろこの「私」の声の中にさまざまな声の響きが重なっていることに気づきそれをさらに豊かに響かせていく課題として受け止められる。総てのものを自己実現のための手段・糧とする「詩的〈我〉」にとって、聴くべき者は「誰もいない」かもしれない。あるいは「誰でもない者」として私の中にしかいないのかもしれない。現代には、それほどまでに分断されている言葉の現実がある。しかし、分断されたものとして言葉はなお存在している。差し出す、受け止めるという形で場そのものを成り立たせ、働きかけてくる。

言葉は二人称的な出来事である。出来事として新しい現実の出現に直面するとき、詩人は内なる「誰でもない者」によって揺さぶられ、そのような出来事としての声をまだ言葉とならぬ沈黙の内に「聴く」。「声」そのものを作り出すことは詩人の使命ではない。リルケが『ドゥイノの悲歌』への促しとして聴いたように、それは、私の言葉の基盤として、言葉そのものが私の内に備えてくれた声かもしれない。ツェランがそれを「誰でもない者」と名指したとき、その不在には意味の重い充塡があった。

誰も土と粘土からふたたびわれわれを捏ね上げない、
誰もわれわれの塵に語らない。
誰もいない。

頌め讃えられよ、誰もいないものよ。
おまえのために
われわれは花開く。
おまえ
に向かって。

ひとつの無だった
われわれは、いまも、こののちも

いつまでもわれわれは、花開きつつ
無いものの、
誰もいないものの薔薇。［…］

（パウル・ツェラン「詩篇」）

日本文学の伝統はそのような他者の重みを知らないが、訪れる内面の声は、やはり言葉の出来事であり、人間存在がそれに浸されている外なるものからの訴えであることには変わりない。そのかぎり、言葉は関係への促しであり、出来事としての声の響きうる言葉の場そのものを新たに生起させるための呼びかけなのである。詩とは、その声に応えてその言葉化を目指す営みであり、そこで言葉の失われた世界、氾濫する映像によって関係性の失われた世界、死に瀕した暴力的世界が、新しい命へと更新されるとき、「詩のなかの〈私〉」は「言葉のなかの〈私〉」として生きる自己を見出すのである。

＊1　Wikipedia（ドイツ語版）の Lyrisches Ich 参照（二〇一六年九月一日現在）。
＊2　田村隆一「帰途」（『言葉のない世界』一九六二）。
＊3　ゴットフリート・ベン「抒情詩の諸問題」（『著作集第2巻』社会思想社、一九七二）。
＊4　T・S・エリオット「詩における三つの声」（『全集第3巻』中央公論社、一九六〇）。
＊5　山本健吉『古典と現代文学』（講談社、一九五五）。
＊6　キルケゴール『死に至る病』（桝田啓三郎訳、ちくま書房、一九六三）。

八、二人称の詩学 ――「現代」詩論・想像力について

1.「現代詩」

明治以来の詩・言葉に関わる歩みを、「日本近現代詩」として概括する時、「現代詩」とは、敗戦後の一時期の諸傾向を指すものであろう。その思想の特徴や表現のスタイルなどを論じる「現代詩」論。これには既に数多の成果があり、またその扱いに長けた方が沢山おられる。著者はその方々に伍して何かを述べる準備や意思に欠けている。それに対して、「現代」詩論ならば、もう少し広くものを見る視点を許してくれるだろう。これは、詩を論ずる視座を現代に定めることによって、むしろ「現代」を問う営みであり、所謂「現代詩」に止まらぬ領域をも扱いうるだろう。「現代詩」もそのような動機から出発したのだから、定義上の殊更な区別に意味は無いとの反論もあろう。そうかもしれない。しかし、「現代」詩論の方が、言葉の出来事としての詩を巨視的に眺める広がりを持つ。空間的時

間的にどれほどのスパンを想定するのか、各時代の現代詩を俯瞰的に見ることなどできるだろうか、という疑義がさらに予想されるが、筆者の言いたいのは、現代を見るために異なる時代、異なる空間をも特筆する恣意が許される、その可能性を模索すること以上ではない。

第一章で、親鸞の『三帖和讃』より次の「詩」を引いた。

浄土真宗に帰すれども
真実の心はありがたし
虚仮《こけ》不実のこの身にて
清浄《しやうじやう》の心もさらになし

これは七五調四句、平安時代発祥の「今様」形式で書かれた親鸞の「和讃」。「愚禿悲嘆述懐」の表題のもとに収められた晩年の一首である。『梁塵秘抄』に代表される今様、すなわち彼の時代の「現代詩」様式で、親鸞は三〇〇を越える「和讃」を残した。四句一章の短和讃が（俳句のように）連作形式で連なっていく詩型は、親鸞みずからの創意によるものである。なかでも「愚禿悲嘆述懐」、とりわけ右の一首からは、生涯自己の内なる現実を見つめ、その表白を厭わなかった誠実な魂の響きが、切々とした悲しみとともに伝わってくる。煩悩のもとに喘ぐ人間存在（衆生）の悲痛を自らともに担った告白として、思想詩でありつつ、深い抒情性を湛えている。

打ちひしがれた民衆の喘ぎに寄り添い、親鸞は、功徳を積まずとも、ただ恩恵を受け取るだけでよいと説いた。「他力不思議にいりぬれば／義なきを義とすと信知せり」（正像末法和讃）。これは、等しく「恩恵のみ」を説いたルターの信に始まる「宗教改革」に重なる。和讃（＝日本の讃美歌）は、ルターの「深き悩みの淵より」からバッハに至る「ドイツ・コラール」の発展と二重映しになる――時代の呻きを深く担う言葉が、詩と芸術の真髄であるという意味において。ポイントは、言葉がその時代とどう向き合ったか、ということであろう。言葉の「現実」との取り組みを扱う際に「現代・詩論」は「現代」を超える。それは、現代とはどのような時代か、詩とは何か、といった根本的な問いを含む。言葉と世界、自然と言葉、その歴史性などを根本的に問い返す視座を指すものであろう。親鸞はまた、「功徳の宝海みちみちて／煩悩の濁水《ぢよくすい》へだてなし」とも歌っている。弥陀の本願という大海に入れば、罪にまみれた我々の「汚染水」とてもたちどころに浄められるとの謂であろう。そのような信を可能とする言葉の存立は可能か、それはまさしく現代の問いそのものではないだろうか。

2. 二人称の詩学

筆者はかつてこう記したことがある。——二人称言語の先駆性というひとつの断定から出発することとしよう。何かを美しいと感じるとき、その一人称の感動には、向かい合うもの（自然や世界の形象）との二人称的出会いが先だって導いている。「美しい」という根源の発声も、単なる「自己表出」ではなく、言葉の関わりゆく関係の場所を設定する運動として、二人称的と言い表すことが出来よう。発声を導く相手や形象は、根源的に、人格的なものに限られず、世界や漠然とした自然称をも含んでいたはずである。二人称言語の「関係志向性」が「関係規定性」へと移行するとき、そこに反省・考察が生じる。反省意識の一人称と、相手を対象として叙述する三人称が分化する。

文明を駆り立てていく学問・科学は、認識の客観性を重んじ、形象を概念化することを通して「世界の三人称化」を推し進める。その営為の主体を自認しているが、客観化の達成された世界においては、主観はもはや「主（あるじ）」の位置にはとどまり得ない。完全な「お客」の位置に移される。近代社会における人間の「自己疎外」はこれを言い換えた概念である。そうした時代状況を肌身に感じつつ、ロマン主義の詩人たちは、これに抗して世界の形象性を保持しようとした。客観化に抗い、自らの主観性に固執し、世界の「一人称化」の途を突き進んだ。内面世界の拡大によって世界は謂わば抒情詩化される。その一方で、時代の趨勢に従って自らも「三人称化」に手を染め、「小説」など近代文学の類型を採って世界の叙述に勤しむ人々も現れた。そこでは「語り手」として主観の位置はかろうじて確保される。写実主義、自然主義などの辿った歩みである。だが、そのいずれにせよ、言葉の「二人称的」側面は希薄化し、肥大した自我と拡大する読者市場の背後に「二人称的世界」は曖昧とならざるを得なかったのではないか。——近代とその文学の展開にこのような問いを立てる。それは特殊な関心と映るかも知れないが、「出会いと対話」を回復するという時代の問いを共にしている。心すべきは、諂いや恫喝の二人称で味方や信徒を拡大するという、結局は不特定多数の三人称に組み入れてしまう仕方を避けること。対峙者の自由を確保しながら、出会いの感動が状況や世界を改変するような二人称が希求される。[*1]

いささか長い引用となったが、これは筆者の根本的立場であり、本章はこれを敷衍し、いくらか先へと展開する意図を持っている。冒頭近く「自己表出」に言及したが、これは吉本隆明『言語にとって美とはなにか』から引いた術語である。その叙述を要約する余裕はないが、吉本は、自己表出こそが芸術の真髄であり、これに「指示表出」が加わってその多彩な表現が生まれてくるとする。筆者はその精緻な分析に感銘を受ける一方で、ことばの存在と語りの原点について、いささかの違和感を抱いた。これはやはり、所謂近代的自我の影響下にある立論という印象であった。「自己表出」にせよ「指示表出」にせよ、いずれも主体を起点とし、その内から外へと方向づけられる。そこには、「我思う《コギト》」から出発する一人称言語の思想が色濃く影を落としている。ヨーロッパでも近代以前、あるいは空間を隔てたところでは事情はいくらか異なるのではないか。たとえば、右に記した親鸞の和讃の場合も、主体に発する表現の秩序とは別な消息を窺うことができる。彼の自己表白は、仏教の言葉《テクスト》の世界と向かい合う取り組みや、迫る衆生の嘆き、弥陀に収斂してゆく言葉の秩序の中に置かれて、二人称言語の刻印を強く宿している。

筆者が詩の世界に目覚めたのは、「ドイツ表現主義」の詩に惹かれたことによる。その関心も時代の自我中心の意識の中に発していた、という反省から語ることにする。表現主義 Expressionismus、あるいは時代的に先立つ印象主義 Impressionismus、そのいずれにせよ、主体と世界の区別が前提されている。主体から世界に向かう、あるいは主体の中に入る世界を受け止める、その志向する方向は正反対だが、いずれの場合にも言葉は主体に帰属するものとされる。言葉は精神の属性であり、精神は言葉をもって対象となる世界に自己を対置させる。そのような対置は、学問における言語の知性的な位置づけと、軌を一にするものといえよう。近代ヨーロッパに発する認識の言葉は、指示対象を厳密に規定することにより世界を説明しようとした。右に述べたように、知的精神による世界の客観化が進展する。これに呼応するように、芸術や文学表現の領域においても、主体を中心とする運動が展開してゆく。主体の拡大への素朴な同化か、あるいは知的精神の謳歌に抑圧を覚えた感性の反発からか、その駆力はいずれにせよ、文学はその活動の中心に主体を据える。その事態を典型的に表すのが「天才」への注目である。唯一無二の「独創的 original」な作品の創造主体として「天才」は讃美される。これは近現代詩に限らず、維新以来、西欧に自らを開いた日本における芸術・文学に通底する意識と思われる。しかしこれは本来、西欧の「ロマン主義」以降の考えであるにすぎない。そのように歴史的に限定されているにも拘わらず、我々が、詩とは何かと問い、素朴に主体の自己表現と答える時、そこにはこのような意識が反映している。抒情詩とは、専ら「主体（私）」の情緒を表現する文学なのか。だが、「情動」という言葉（パトス・パッション）が受動（パッシブ）と語源を等しくすることから示されるように、情緒とは本来、受動から能動への未分化の往還、主体と世界との不可分な関係を言い表している。

「被造物全体が、今に至るまで共にうめき共に産みの苦しみを続けていることを、わたしたちは知っている」とパウロは述べた（ローマ八の二二）。現今の世界の悲惨な事態や自然の大災害を告げる報道に接する時、宇宙万有もまた人間と共に究極の救いを求めて呻いているると語った、パウロのこの言葉がひしひしと想われる。世界と「私たち」とが、造られたものとして元はひとつであり、その呻きもひとつと聖書が述べる時、言葉は人間だけに限定されず、万有世界に帰属するものとされる。信仰の告白が問題なのではない。唯物論的な観点からも、言葉は発声器官や筆記する手（身体・自然）を離れては存在しない。また、所記《シニフィエ》と能記《シニフィアン》の関係は言語ごとに多様であるにせよ、諸言語の隔たりを超えて、人が言葉の中に生きている事実は共通である。言葉は自然のものであり、言葉という世界のなかに我々は生きている。我々は、まず世界のそのような語りかけを受けて、これに応える運動となる。向こうから二人称的に働きかける世界の言葉を受けて、我々は自己を一人称的に自覚する――赤ん坊が、生後しばらく続く母子一体の状況から、初めて自分を、向かい合う母とは別の存在と知る時のように。

かつてリルケは、晩年の大作『ドゥイノの悲歌』の冒頭句を、アドリア海に面した古城で風の中に聞き取ったという。いささか神秘めいた逸話ではある。世界の語りかけには「啓示」と言わざるをえないような一方向的な出来事もあるが、総てを神秘的な生起ととる必要はない。古くは「自然の書」という比喩で、万有・世界の言語性が語られたことがあった。それは自然世界の二人称的な語りに対する聴取と読解の秩序があるとの謂であった。

3. 想像力のはたらき

認識や表現の主体を世界から区別し、世界に対置させる、このような分断は近代に特徴的と述べた。そこで言葉は、主体（精神）の側に置かれ、世界を分析する（切り取って秩序づける）方途と見なされた。だが言葉はそもそも、感性的なものと意味とで成り立っている。この感性的・感覚的なものこそが人と自然との紐帯であり、精神を物質世界から切り離すことを困難にする。感性を介して受けとめた対象を認識すべき課題として受け止める時、その最初の把握自体が著しく感性的、言い換えれば形象的なのだ。リルケは、その詩的想像力を呼び覚ます外部の声を自己の内に聞いたが、そもそも知的な認識が成立する際にも、実はこの形象 imago を結びつけ秩序づける想像力 imagination が働いている。

想像力はドイツ語では Einbildungskraft というが、カントはこれを、このような認識の際に形象 Bild を結ぶ力をも含めて、我々より広い意味で用いている。それゆえ、翻訳には「構想力」という訳語が充てられている。「構想力」は、感性的直感のもたらす多様な形象に悟性のカテゴリーを当てはめた後、先験的な図式に準えて最終的認識を形成する。例えば幾何学において、眼前に存在しない三角形をイメージすることができるのは、知性的認識に不可欠なこの「再生的構想力」の働きによる。感覚と知覚を統御するこのような力は実は誰もが行使している。型にはまった認識でも、その型が正しいかどうかを判断するのはこの「再生的構想力」の働きである。

一方でカントは、我々が普通イメージを喚起する力と捉えている想像力を、別に「生産的構想力」と定義した。想像力（生産的構想力）とは、すでに存在する形象（イメージ）をまだ存在しない形象（イメージ）へと変容する力である。カント以降、認識の平板を打破する能力として、想像力はますます注目されるようになる。それは、知覚によって提供された形象を「歪曲」する力であり、我々が日常において準拠している基本的イメージから我々を「解放する」能力である。想像力によるこの形象の変容、また形象の思いがけない結合によって日常的現実世界を変貌させ、可能的世界を新たに発見する道筋が開かれる。芸術家・詩人は自らの可能性をその世界に自覚的に投企し、そこに住むことを願う。筆者が初めて詩に惹かれた頃、秋谷豊の詩「読書」は、そんな世界を思い描かせた。[*2]

書物を開くと
ぼくらの中に遠い世界がひろがる
乾いた幹を飢えた稲妻がたおすとき
こんな不安な夜の中で
ひとはたがいの存在をたしかめ合う
灯をつけるように
ひとはお前の開かれたところへ来て
静かな休息をみいだす
やさしい祈りに愛をみいだす
その一つは世界のひとびとにつづく

すべての知恵のしるし
お前のかなしみにひかる声によって
ぼくらの人生は慰められる
燃える叢をよこぎって
ひとが昼間ずっとあるいてきた
強烈な夏の日の思想とともに

聞き取られることを願って、息をのみ、ためらい、憧れの眼差しで見つめている――あるいは抑圧のもとに、喘ぎ呻いている――そのような二人称的世界の語りかけを聞き、これに想像力をもって応える。その時、日常の世界から一旦は切断され、しかも日常の世界のただ中に生き生きとした生の可能性が開かれてゆく。この言葉の世界においては、世界を理解することが、自己を理解することに重なる。さらに、読者もまた自分の可能性をそこに寄せることのできる世界が示唆され、そこに新たな二人称的関わりが志向されてゆく。詩とはまさしく、そのような世界を志向し、そのような関係を指し示すものであろう。

4. 想像力の両義性

だが、自然・世界の言語的な在り方への対処は一様ではない。自然科学もまた、もともとは世界の（二人称的な）語りかけを、数学的言語をもって聞き取ろうとする営みであった。現象の法則的な在り方として世界の言葉を理解しようとして、自然科学は出発した。人文・社会科学は、自然科学の数学的言語の「厳密さ」に憧れ、社会的現実やその様々な時間や空間の形象の結びつけに相応しい言語秩序を導入した。そこに働く「物語り」の秩序には、先に示唆した認識における「再生的構想力」の役割以上に想像力が与っている。そのような学問・科学のめざましい進展を前にして、芸術・詩文学は、まさしく「想像力」こそ自らの本領（エレメント）として、自らの活動に適用した。だがそこに、ひとつの錯誤が生じたのである。キルケゴールはロマン主義的想像力の在り方を、自己の前後に鏡を置く様《さま》に準える（「鏡の中の鏡」）。主体はもはや世界の語りかけに耳を塞ぎ、自己の可能性のみを、鏡面の反射のように無限に拡大させてゆき、その果てに自己を消失させてしまう。想像力の過剰な追求が自己喪失を招く。そこには、想像力（生産的構想力）が、現実秩序の日常的語りに耳を傾ける「再生的構想力」と全く別なものではない、ということが見失われていた。想像力の展開が、現実の世界を置き去りにしたがゆえに、開かれた新たな可能性もまた蜃気楼のように消失する。近現代の芸術・詩文学への反省として、このように、足が地に着かない想像力の飛翔とその主体への過大な着目があったことを銘記せねばならない。想像力の働きは両義的であると言える。

現実との関わりにおける想像力の両義性はさらに次のような場合にも当てはまる。――信仰世界の想像力は、詩の想像力と同じような働きをする。違いはただ、想像力の提示する譬え（形象）が、そもそも現実世界に形象すら与えられていない異世界を指し示すことである。それは現実世界に根拠はないが、真実の世界であり、単なる可能性ではなく、現実の世界以上に真理の現実性を担った世界でなくてはならない。そのような新世界提示の可能性を筆者は肯定している。しかし、想像力の現実を変革する働きは、初めからそれ自体の内で、自由な生へと方向づけられているわけではない。新たな可能性を、むしろ現実世界の秩序に読み替えて頽落させ、正反対の方向へ向けることも可能なのだ。そこに導き出された形象は、宗教的・社会的コードと化し、戒律・倫理・常識として日常の生を拘束するに至る。想像力の「囲い込み」が生じうるのだ。信仰の真実と社会的勢力としての宗教は別のものである。さらに、宗教的言語が政治的言語の典拠・模範として積極的に用いられる際には、想像力は現実世界の虚偽を美しく被覆する働きをも担う。明治維新以来、富国強兵また国体の顕揚が唱えられた。その過程で、靖国への英霊の帰還などという擬似神話を描き出す方向へ想像力が導かれた。詩文学にもまた同じ促しが語られた時、その想像力は現実世界の語りに正面から向かい合うことを怠り、諂いと恫喝の二人称しか語り得なかった。敗戦後、例えば三島由紀夫はそのような虚構の世界に向けて、再び想像力を構築しようとしたが、「平和と繁栄」をめぐる昨今の政治・社会の言動もまた、似たような想像力操作の動機によって不特定多数の三人称を動員する方向に蠢いている。

5. 想像力の真偽性を検証する

創世記冒頭に人類始祖の堕罪の出来事が記されている。苑の中心に植えられた知恵の樹をめぐって、蛇は女に想像力の冒険を唆す。その樹に対し彼女の欲望を肯定する方向で想像力をめぐらすようにと。積極消極の違いはあれ女も男もその促しに従い、ついに人は自らが置かれた真の現実から抜け落ちてしまう。一方また、新約聖書・福音書の「荒野の誘惑」の記事には、サタンがイエスに対し同じ趣旨の誘惑を行ったと記されている。サタンはイエスに三度繰り返し、経済的（＝パン）、政治的（＝地上の支配）、宗教的（＝天上の権威）に覇権の途を選ぶべく想像力を働かせと促す。しかしイエスは、サタンの意図を見抜き、その唆しに乗らない。イエスの公生涯は、支配といった人間的欲望の充足ではなく、神的真理の実現のために自己の生を犠牲とする方向を歩む。そのような生の形そのものが、神の国の現実へと人々の想像力を導く「神の国の譬え」となってゆく。*3 ――想像力の真偽性を検証する鍵とは、言葉が真に二人称的他者の語りを迎え、聞く者を生かすべく語られているか否かであろう。親鸞の「詩」にふれて述べたように、時代の呻きを深く担う言葉が詩と芸術の真髄であるのと同様な仕方で、想像力がその時代の現実とどう向き合ったかが問われてくる。

想像力は万人のものである。我々は自然や世界の語りかけをじかに聞く一方で、その語りかけへの応答が蓄積された言葉の世界、所謂「テクスト世界」の中にもあって、そこで新たな語りかけに直面する。言葉は現実世界からも、テクストの世界からも語りかけてくる。その語りは、歴史の中に出来事の再現として繰り返される。本章冒頭に述べた時代を超えて響いてくる言葉の出来事。その声に向かい合う営みは総ての人に託されているが、詩文学に携わる者にこそ、まずはその語りにしっかり耳を傾けることが、より一層求められている。――氾濫する映像に惑わされて想像力の疲弊してゆくこの時代にあっても、社会に働く蠱惑的な想像力操作に対して批判的に対峙するように。また何よりも、言葉を通して働く想像力の創造性によって、現実（現に生きて働いているこの世界）の意味を根底から新たにするようにと。想像力の開く「窓」の向こうに、私が・あなたが・ともに故郷とすることができる、さらに広い世界を待ち望むように我々は語りかけられている。

＊1　川中子義勝『詩人イエス――ドイツ文学から見た聖書詩学・序説』（教文館、二〇一〇）。
＊2　秋谷豊『降誕祭前夜』（地球社、一九六二）。
＊3　並木浩一「人は想像力なしには生きられない」『著作集2　批評としての旧約学』（日本キリスト教団出版局、二〇一三）。

九、神への問い・再び――苦の意味を問う

世界との「二人称」的な出会いについて述べた。「わたし」が言葉を発するよりも先に、世界が、向かいあって「呼びかけ」てくる。そこに、知的関心や詩的感興が生まれ、言葉が導かれる。一方で、世界が敵対するもののように「わたし」に対峙することもある。本書の冒頭「はじめに」に記したように、謎と化した世界からは、嘆きや煩悶も導かれる。理解を超える世界への応えは究極において「神への問い」という形をとるであろう。

1.「神への問い」？

表題の「神への問い」について初めに説明を加えておきたい。以前、拙編著『神への問い』（二〇〇九）を上梓する際に、「ドイツ詩における神義論的問いの由来と行方」という副題をつけた。[*1] つまり「神義論的な問い」のことだが、これは、いっそう難しく響くかも

しれない。「神義論 Theodizee」は、文字通り「神を義《ただ》しいと論ずる」。「弁神論」とも訳される。一七一〇年に、ライプニッツが著した浩瀚な書 Essais de Théodicée が最も有名である。正確には「神の善意、人間の自由、悪の起源についての――」という。そこから、内容を推し量れるかもしれない。そうした問題は、実は遥かな昔から問われてきた。

古代イスラエルやキリスト教世界では、総てが神から開始される。神話時代、諸民族が神々の恣意に翻弄され、運命の重圧の下に喘いでいるとき、独りイスラエルは、愛をもって人間と向き合う一なる神と出会い、奴隷状態から解放され、歴史の時を歩み始めた。全能なる神は、被造物や人間を創造した善なる方で、人格神として人間の生き方に関心を寄せ、働きかけを続ける。この神観から、世界もまた、善なる意志のもとに創造された全きもの、という信念も出来する。しかるに、どうであろう。現実の世界には、〈自然悪〉すなわち災害や生老病死に伴う苦しみや、〈道徳悪〉、人間の罪や過誤による苦しみに溢れている。「神はなぜこのような悪の存在を許すのか」――これが神義論的問いであり、神義論はこれに答えようとする。ユダヤ・キリスト教神学、またヨーロッパ思想史は、そのような議論を延々と連ねてきた。

明らかにこれは、有神論に立つ宗教の問題であり、しかも（善悪二元的な世界観ではなく、存在の一切を一なる神から導き出す）唯一神信仰にとっての問題である。一方で、日本には仏教の思想的伝統があり、多くの人は人生を生老病死、四苦八苦と見る思考になじんでいる。あえて「この世にはなぜ悪があるのか」と問い直す人は稀かも知れない。苦しみの存在は、宗教の存立を危うくするどころか、むしろ宗教の基本的な前提をなすので、人生に苦しみはつきものとしてきた。しかし、どうだろう。それでもやはり心に、この世は本来善であるべきなのに、悪によって損なわれている、との想いを抱いているのではないか。信条は様々にせよ、まずは善き世界を肯定する構えなくしては、日常が成り立たない。「神も仏もあるものか」という典型的な嘆きの表現は、むしろ善なる世界への祈求を裏返しにした響きを伝える。

「神義論」は神との関わりにおいて、生とその苦しみの意味を問う。独自の宗教的背景を持つ日本において、また、世俗化され、宗教という立処の希薄となった社会においても、生や存在への実存的な問いは立てられる。苦しみの〈意味への問い〉、それは、宗教を問わず、また宗教という前提を抜きにしても、「神義論」の問いと通底する普遍性をもつ。その意味で、キリスト教詩人の作品に限らず、広い視野で見渡したときに、実質的に「神への問い」（＝意味への問い）を主題として持つものや、他ジャンルの作品や著作家もまた考察に値するものとなる。*2

2.「神への問い」の伝統

ライプニッツの『神義論』は、P・ベール他の諸説を扱って精緻な議論を展開する。子細を述べる余裕はないが、「予定調和」へと収斂する彼の思想は、時代のものでもあった。総じて一八・一九世紀の思想・文学は、人類の歩みに〈楽観的〉な展望を描く。カント『永久平和について』、レッシング『人類の教育』、ヘルダーやヘーゲルの『歴史哲学』などの表題が、内容を窺わせる。神を掲げない「唯物論的弁証法」や「進化論」も進歩史観の表明という点で軌を一にする。「予定調和」的な世界の進展、これを疑わしくする最初の歴史的事件は、一七七五年一一月一日、リスボンの町を灰燼に帰した地震であった。当時六歳だったゲーテは、後日に回想して、平和と安寧に慣れた世界に恐怖を引き起こしたと語っている。一八世紀末から、思想や諸芸術がキリスト教とは別な道を採り始めるが、その歩みは二〇世紀に至り、二つの世界大戦を経て決定的となる。フォイエルバッハ、マルクス、フロイトの無神論的な宗教批判や、ニーチェの唱えた「神の死」の主張、また個人の解放という時代気風、技術の進展と都市化・工業化の波のなかで、なおも神の問題について語れるか、語るならどう語ったらよいか。これは焦眉の問いとなってゆく。

文学においては、例えばドストエフスキーが（自らの信仰とは別としても）、神義論的思考に対する異議の典型を描き出した。長編『カラマーゾフの兄弟』（一八八〇）において、次兄イワンは末弟アリョーシャに「大審問官」の挿話を語る際に、神の存在を疑う論拠として、なんら罪を知らぬ嬰児や子供が残酷な仕方で殺される場面を次々と引き合いに出し、そのような蛮行は許しがたいと、善い世界への懐疑を示唆する。この章は、世紀末から「危機の神学」や実存主義が流行した二〇世紀前半、繰り返し話題とされた。思想において神義論の底を抜いてしまったのは、ニーチェであった。『ツァラトゥストラかく語りき』(一八八五)や、『善悪の彼岸』(一八八六)は、キリスト教市民社会に「神の死」を突きつけ、その善悪の区別を劣悪なる弱者のルサンチマンと断じている。デンマークではJ・P・ヤコブセンが、無神論に殉じた詩人の生涯を描いた(『ニイルス・リーネ』一八八〇)。リルケはこの書を高く評価している。

リルケの詩業全体を宗教の観点からのみ扱うのは無理であろう。しかし、「神への問い」という主題は、リルケ自身が深い関心を惹く問題でもあった。母親から女児として育てられ、父親によって過度に期待されるなど、両親は彼の自己形成に問題を残した。キリスト教への幼い帰依と挫折を経て、青年期のリルケは、その批判者へと成長していく。無力なキリストを巷の様々な場面に登場させる『キリスト幻想』(一八九六/九八)は、(未発表だったが)キリストへの懐疑を刻印する記念となった。ニーチェに心酔し、その恋人であったルー・アンドレアス゠ザロメの感化を受け、イタリアやロシアをともに旅行するが、ロシア民衆の姿に感銘を受け、かえって宗教性豊かな詩が生まれた(『時禱詩集』三部作、一八九九～一九〇五）。その最初の結実『修道僧の生活の書』（一八九九）は、伝統の〈祈禱書〉の様式を採用する点で、キリスト教の伝統に結びながらも、宗教的内面の表現を変革する仕方で伝統の克服を志向している。六章ですでに引いたように、「詩人たちはあなたを蒔き散らした」と始まる一編は、次の言葉で結ばれる。

ご覧のように、わたしはひとりの探求者です。／［…］
あなたを纏めあげることを、また自らを
纏めあげることを夢みている、ひとりの者です。

「あなた」に向けて祈りの文体で書かれている。詩人たちが、言葉を弄しつつ不明確にしてしまった神への道を、語り手である「詩のなかの〈私〉＝修道僧」は新しい詩の器に蒐めようという。その際に、語り手は、盲人や召使い、（ロシアで見た）乞食や子どもなど、社会の片隅に生きる小さな人々に注目している。そのかぎり、語り手の眼差しは、一般の信仰者のそれとさほど違わない。その道で迷うことのないようにという結びの祈りにも、真摯な響きがある。しかし、神と人間の間を結ぶ「祈り」の言葉を新たにする、そこにはある種の審美的動機もまた働いている。事実、『時禱詩集』を特徴付けていた「祈り」の声調は次第に失われていく。遍歴を重ねるリルケは、ヴォルプスヴェーデの画家と交わり、またパリに赴き、ロダンの秘書として暮らすうちに、事物を見る眼を鍛えられ、その外的形象への関心を深めていく。同時期に編まれた『形象詩集』（一九〇二／〇六）や『新詩集』（一九〇七／〇八）には、聖書からの主題も多く扱われるが（「ダビデ、サウルの前に歌う」「エレミヤ」など）、パリ滞在から生まれた散文『マルテの手記』（一九一〇）のように、現代人の不安を洞察し、存在の危機を克服することが晩年の主題となる。

人が神を仰ぐ姿勢を再び秩序づけ、神と人との関係の再構築をリルケは志した。〈祈り〉の姿勢が〈高み〉への志向、〈垂直〉への収斂として形象化されるとき、そこに〈山〉の形象が現れると、すでに五章、六章で述べた。晩年の詩人が描く風景には、詩精神の高まりに伴い、切り立っていく心の姿が示される。「神の死」という、近代の陥った秩序崩壊の状況（外的世界）に内的空間を対置し、世界の秩序を構成し直す。聳え立つ精神の垂直性において、神・世界・人間の秩序の再構成を図る。到達点の『ドゥイノの悲歌』（一九二二）、『オルフォイスへのソネット』（一九二三）まで、彼は直截に神を名指さず「探求者」の道を辿りとおし、現代詩人の歩みの一つの典型を示した。

リルケの垂直性と高みへの志向を負の方向で受けとめた詩人として、Ch・ラヴァン（一九一五〜七三）についてもすでに述べたので、ここでは別な詩を例示する。

ええ、主よ、わたしは干からびてしまった一本の樹、

そしてわたしの身の瘤は、寒さに凍えただれかが
近づいて来ると、まるで狼たちのように吠える。
構わないで、— わたしは誰でもかまわないという燃え方はしない。
わたしは知らない、死んでしまった根のどれかが
いまもなお蝮の怒りを保っているのか
あなたに盾突く胆力を保っているのかを。
御自身で来てみて — わたしの手はもう誰も撃ちはしないから —、
わたしはしかし、あなたの閃光
ほんとうの閃光をわたしの頭上に墜として欲しい、
そして知って欲しい、わたしが誰の手であれかまわず
ほんの少し暖めるのは嫌なのだと、それには焔があまりに痛いから、
陽の下にただひとつ、ただひとつの心のため
それが凍えているなら、わたしの蝮がなおも燃えあがるのだと。

（『乞食の平鉢』一九五六）

彼女の場合、神と人とに関する伝統の表象はそのまま受け継いでいる。作品は〈冒瀆詩〉とも評されるが、この詩に示されるように、苦難を負ってなお神に執着し、訴えの声をあ

げつづける。ヨブの試練を、自身の宿運として、身に負った詩人と言えよう。その詩は読者に強い衝撃を与えた。

神との結びつきを断ち切るような現実に直面して、人がなお神を讃えることが可能か、それは『ヨブ記』の主題である。それは、二〇世紀の半ばから後半に向けて、社会全体を覆う苦難の問題として詩の主題となった。歴史においてイスラエルが経験した三度の悲劇、バビロン捕囚、エルサレム陥落、ホロコースト。その三度目の経験を経て語られた「アウシュヴィッツの後、なおも詩を書くことは野蛮だ」というTh・アドルノ『プリスメン』（一九五五）の言葉に、詩を書く者は向き合わねばならない。ユダヤ人の受けた未曽有の経験は、リルケのように詩精神を打ち立てる途を至上とした従来の詩人の生にも、創作の基盤を糾す問いを突きつける。ラヴァンの個人的運命への抗議の声は、民族的な響きを担うものとなる。ホロコーストの現実から言葉を汲み上げた詩人、ネリー・ザックスとパウル・ツェラン、彼らの詩の語り手、「詩のなかの〈私〉」が、しばしば複数二人称であることは象徴的である。それは、民衆の歌としてのドイツ・コラールの基本的な人称を負の方向で受け継ぐこととなった。

N・ザックスは亡命によって絶滅収容所への送致を免れたが、ホロコーストの現実の中から詩集『死の住処にて』（一九四七）は生まれた。「死者たちの合唱」から再び引用する。

私たちの内で窒息させられた風、
私たちを灼いた火、
私たちの残り滓が抛《ほう》られた地、
私たちの恐怖の汗とともに空しく滴った水
は私たちとともに断たれて輝きはじめる
私たちイスラエルの死者は君たちに言う
私たちはすでに星一つの距離だけ先に
私たちの隠された神の内に達している。

ラヴァンのような、直接の抗議は語られない。壮大な嘆きの内に、謎めいた語り口だが、受苦という民族の宿運があくまでも神の手の内にあるものと歌われている。
ザックスと、それぞれの晩年に交友を結んだP・ツェランが、ザックスに宛てた詩「チューリッヒ、鸛亭にて」を先に引いた。ここでは同じ詩集『誰でもない者の薔薇』(一九六三)から、神への問いを主題とする別な詩「詩篇 Psalm」を引用する。

誰も土と粘土からふたたびわれわれを捏ね上げない、
誰もわれわれの塵に語らない。

誰もいない。

頌め讃えられよ、誰もいないものよ。
おまえのために
われわれは花開く。
おまえ
に向かって。

ひとつの無だった
われわれは、いまも、このちも
いつまでもわれわれは、花開きつつ
無いものの、
誰もいないものの薔薇。

魂澄める　花柱
天荒む　花糸
赤き　花冠

で
紫のことばをわれわれは歌った
うえで　おお
棘　のうえで

聖書の文書名を表題とするこの詩では、無化された民が、かつてその存立を基礎づけた創造者に責任を問うかたちで、告発の言葉を語る。創造者の存立そのものを否定する言葉で。その存在が無化されたのは、存在を根拠づけた者が、その惨劇の場に居なかった（＝不在）からではなく、そもそも無（＝非在）だったからと断言する形で。ここでは植物の生い育つ「直立」の形が、示唆されているが、それは何ものかに向かう「方向性」を示唆しつつ、その方向性の意義そのものが否定されている。それは、リルケが「オルフォイスに寄せるソネット」の冒頭に記した垂直に「立ちのぼる樹」に対して、空虚な負の像を映し出す。しかし、その否定には、否定にむかう激情によって、否定されるものになお拘束されている、執着もまた語り出しているといえよう。

すでに六章で、神をめぐるドイツ現代詩の状況を概括したが、いま一度「苦の意味への問い」という視点から素描しなおしてみた。西欧文学とその時代状況の紹介が始まって既に一世紀以上。〈問い〉をともにするか否かは、キリスト教への関与次第で様々あろう。知識人の関心に留まる根を欠いた言及もある一方で、告白を等しくせずとも、生の奥底からは、実質を同じくする問いも立ち昇る。

3.「意味への問い」

宮沢賢治に『ひかりの素足』という作品がある。二人の兄弟が、家に帰る途中の峠で雪に巻かれ、彷徨《さまよ》ううちに「うすあかりの国」に入り込む。そこで、同じ境遇の子供たちとともに駆り立てられる。「一郎はこの時はじめて自分たちを追ってゐるものは鬼といふものなこと、又楢夫などに何の悪いことがあってこんなつらい目にあふのかといふことを考へました」。これはまさしく苦しみの意味を問う問いである。「『私たちはどこへ行くんですか。どうしてこんなつらい目にあふんですか。』楢夫はとなりの子にたづねました。…『歩け。』鞭が又鳴りましたので一郎は両腕であらん限り楢夫をかばひました。かばひながら一郎はどこからか『にょらいじゅりゃうぼん第十六。』といふやうな語がかすかな風のやうに又匂のやうに…感じました」。その声が「白くひかる大きなすあし」の人が近づいてくる前ぶれとなる。衆生を導く如来の巧みを語る法華経「如来寿量品第十六章」が告げられるこの箇所は、賢治が世界における苦の意味を直截に語るところ。「すあしの人」は一郎に告げる。兄弟が彷徨う「うすあかりの国」（地獄）は世界の本当の姿（縁起）ではなく、縁起から背反し自己の煩悩に捕らわれた人間がそう思い込んでいる仮象にすぎないと。仏教における悪や苦は、如来の〈方便〉として縁起なる世界が示される場となるといえようか。

ヘブライ・キリスト教の場合、悪や苦は歴史の具体的出来事として、実体性を持つ。それは、神の「右手の業」（本来の業＝救い）に対して、「左手の業」（異なる業）と言われる。西欧近代は、時代の神理解に従って後者を忘れたが、〈聖なる〉神は、本来その両面を持ち、人の理解や忖度を超えている。人には覆われて見えなくなる点で、縁起なる世界も神の右手も共通であろう。隠されたその真実を求めて、意味への問いは発せられる。

神義論と「神義論的問い」とは違う。神や世界の善性が証明されても、〈問い〉がそれで終わるかどうか。証明され、説明しつくされる神は、人間知性の了解の範囲に収まる神にすぎない。神義論は〈問い〉の真摯を忘れている。神の左手しか見えなくなった時にこそ、真の問いが始まるからである。神義論的問い、「何故苦しむのか」には普遍性がある。ただ、この問いには、教理や説教で知性が納得しても、解決のつかない傷痕が残る。

神義論的問いは「ヨブの問い」とも言われる。ヨブは一瞬にして財のみならず息子娘の総てを奪われ、「わが生を受けた日は呪われよ」と呻きつつ「何故?」と神に食いさがる。

死生を賭けたヨブの問いは、神の顕現によって応えられ、その信仰は宥めを得る（それは知性の納得以上のもの）。子供と財産も回復される。しかしそこで、めでたしめでたしと書を閉ざすなら、大切な何かを読み過ごしている。ヨブは、以前に倍する財産を回復するが、再び得た子供の数は同じく一〇人。一度喪った子供たちが生きかえる訳ではない。喪失の苦悩は悲しみとして深められ、これを彼は生涯担いつつ生きていく。

「お前はも一度あのもとの世界に帰るのだ。…よくあの棘の野原で弟を棄てなかった。…今の心持を決して離れるな。お前の国にはこゝから沢山の人たちが行ってゐる。よく探してほんたうの道を習へ」。一郎もまた楢夫を喪った悲しみとともに生きてゆく。信仰の真実は、そういう悲しみの重みを知っている。その意味で『ひかりの素足』は、妹トシに対する賢治の関係を予表する。「青森挽歌」以降の詩群がそこから展開していく。

芥川龍之介『蜘蛛の糸』には、ふと思いついて糸を垂らす「御釈迦様」の姿に、気ままに骰子をふる勝手な天上存在への疑念、密かな抗議が窺える。失墜した神義論としても読める。賢治の場合、縁起としての華厳世界に対しそのような疑問を抱くことはなかった。ただ必死な問いはあった。父から独立する自分探しの旅の途上、独り喜ばしい応答をもって伴ってくれる存在、妹トシが先に逝ったことは、そのまま受け入れられることではなかった。トシはどこへ行ったたか。先に引いた楢夫の問いの前半「私たちはどこへ行くんですか」が、まさしく賢治の問いとなった。それは人生の究極《エスカトン》を問う「終末論的《エスカトロギー》問い」だが、意味への問いという点では等しい。

『春と修羅』第一集の一つの頂点はそのような問いにより形作られる。長編詩「青森挽歌」の「詩中の〈私〉」は「どこへ」という問いに筋道をつけようと感覚を超えた向こう側へ入り込んでゆく。回想はやがて「万象同帰のそのいみじい生物の名」を死の床のトシに告げた場面を引き出す。〈如来〉を暗示する詩的表現であろう。これに対して「ヘッケル博士！」という呼びかけ以降「ありがたい証明」云々と、自己の鏡像からイロニーの声が響く。これに「卑怯な叫び声」と告げるのは、科学であれ仏典であれ、〈神義論のような〉教学の言葉で納得できるかという否の声。「宗谷海峡を越える晩は／わたくしは夜どほし甲板に立ち／…／からだはけがれたねがひにみたし／そしてわたくしはほんたうに挑戦しやう」[*3]。〈実地踏査〉の人、賢治の決意表明である。詩「青森挽歌」は、自らの立つ立処に依ってかろうじて歩みを進めようという願いの祈りへと転調して終わる。

　詩集に収められなかった詩稿「宗谷挽歌」は「私は試みを受けやう」と記されて途絶。宗谷海峡で何が起こったか。作品の破綻は、語り得ない何かが起こったことを告げる。賢治の追究は、（ある意味で予期されたように）挫折に終わった。その傷痕は、断片に留まった草稿「サガレンと八月」後半に窺えるとされている。しかしむしろ、その前半の響きに注目したい。風の言葉や波の呼びかけが、実存の内深く達する仕方で賢治を我に返し、己の姿を見させている。明るい世界の澄んだ悲しみの中に、何か決定的なものが響き始めている。それは、神に見《まみ》えた後のヨブの悲しみに通ずるものと思われる。

「神への問い」とは、苦に直面して見えなくなった神の〈右手の業〉を求める祈りである。そのような視点から、日本の詩史を顧みてみよう。「隠された神」の現実を受け止めて、藤井武の『羔の婚姻』や神谷美恵子の詩「うつわの歌」は、新たな〈神の現実〉へと歩み出してゆく。神学や思想の上澄みではなく、生の奥底から真の讃美が立ち昇る。そこにキリスト教詩の精髄を見ることができる。問題は、そのような下からの真実であろう。山村暮鳥の「苦悩者の頌栄」は、理不尽な神への屈折した抗議の形を取っても、あくまで神に執着する応えとして、信仰の問いを離れてはいない。神の「悪意」に己が「悪意」を対置する石原吉郎も、〈敵対者〉の背後に神の〈左手の業〉を見すえている——異邦ウツの人ヨブに仮託し（「異教徒の祈りから」という副題）、図らずも洩らされた祈りの二人称は、詩集収録の詩群とはなじまなかったが。「神への問い」は、問う自己が逆に「神に問われている」祈りの往還を識っている。そのような問いの真摯という点で、すでに見てきた賢治や、また最晩年の原民喜の詩「感涙」にも窺えるように、信仰の差違や、有無を超えて共通する基盤がある。それらの詩は、キリストを告白するかどうかを別として、「神への問い」と通底する地平を動いている。『西方の人』の芥川龍之介や『ＩＬ』の金子光晴、また塚本邦雄『荊冠傳説』からは、イエスへの愛着が響く。ただ〈問い〉の往還よりも、表現への志向と審美性が訴える。「問い」の存在またその様態は、作品の成就やその価値とは、もちろん別次元の問題である。尾花仙朔、石原武、辻井喬、生野幸吉ほかの人々の詩は、死や世界の意味を問いつつ、広い意味ではやはり「神への問い」を見つめている。

＊1　ベルンハルト・ガイエック『神への問い——ドイツ詩における神義論的問いの由来と行方』（川中子義勝編・訳、土曜美術社出版販売、二〇〇九）。

＊2　本章はもともと、「詩と思想」誌の二〇二〇年九月号特集「神への問い」の総論として記した。特集のために、以下の詩や作品を選び、寄稿を依頼したが、それらを念頭に置いて記したものである。山村暮鳥『荘厳なる苦悩者の頌栄』、藤井武「コスモス」（『羔の婚姻』）、芥川龍之介『蜘蛛の糸』、金子光晴『ＩＬ』、宮沢賢治『ひかりの素足』、八木重吉「ひかる人」他（『貧しい信徒』）、原民喜「感涙」他、神谷美恵子「うつわの歌」、石原吉郎「悪意」、鷲巣繁男「ヨブの書へのマルジナリア」（『行為の歌』）、安西均「暗喩の夏」、塚本邦雄『荊冠傳説』、生野幸吉「それがよそよそしい」他（『大きな穽』）、山本太郎「讃美歌」（『単独者の愛の歌』）、長野規『キリスト異聞』、辻井喬「綱渡り」（『死について』）、尾花仙朔「序詩」他（『晩鐘』）、石原武「聖夜」他（『金輪際のバラッド』）、森田進「蛇」（『美と信仰と平和』）。

＊3　『校本宮澤賢治全集』第二巻（一九七三）。仮名遣いなどの表記はこの全集に拠る。

十、「問い」と「呼びかけ」——宮沢賢治における

1. 宮沢賢治とドイツ文学

かつて『神への問い』という編訳書を上梓した。本の副題を「ドイツ詩における神義論的問いの由来と行方」とした。「神義論」、実はこれが本当の主題なのだが、そのまま書名とするのはためらわれた。難しいと敬遠されて、そもそも手にとってもらえないかもしれない。それで、より一般的な書名とした。ただ、「神へ」という形容を別としても、「問い」や「呼びかけ」、それは今日、日本の詩のあり方として必ずしも普通ではない気がする。その点を最終的に論じてみたい。

ヨーロッパの古い詩、特に民謡には、呼びかけが多い。英雄や神に呼びかける讃歌、讃美歌はその典型。また頌歌は恋人や友人、それから自然に呼びかける。

Komm, lieber Mai, und mache die Bäume wieder grün,
Und laß uns an dem Bache die kleinen Veilchen blün!
たのしや五月、草木は萌え、小川の岸に菫匂う。

と訳されている。訳ではすでに到来した春を楽しんでいるが、原歌は春を待ち望み、五月よ来たれと呼びかける（ドイツの五月は日本の三月に相当）。もとは二人称への呼びかけなのに、訳では一人称のうたう歌となっている。

ヨーロッパ詩には、その文化の二つの根源に対応して、二つの源がある。ギリシアとヘブライ、ともに讃美の伝統を持っている。前者にはたとえばピンダロスのオリンピア讃歌がある。ヘブライ詩に関しては、二〇世紀初頭にドイツのグンケルという研究者が、二つの類型を指摘した。「讃美の歌」と「嘆きの歌」。この嘆きの歌の中には、苦境に陥って「なぜ、何ゆえ」と神に問うものがある。それは、意味を問う問いである。「苦難」や「死」の理由・意味を問う。いやむしろ反対に、そもそも「生」の意味を問うている。この「問い」は万国共通と言えるかもしれない。これが「神義論」という問いの核心である。『神への問い』では、ドイツ詩の問題として扱ったが、ここでは宮沢賢治を取り上げる。彼の一時期とその作品から同じ方向を指す問いを見てみたい。

賢治はドイツ語を熱心に学んだ。東京のドイツ学院の講習会に参加しているし（一九一六年）、一九一八年の保阪嘉内宛の手紙からは、アンデルセンをドイツ語で読んだことが窺える（「アンデルゼン」とSをドイツ語読みしているので）。実際、賢治の作品にはドイツ語がしばしば出てくる。例えば、『土神と狐』という作品では、狐が「ツァイスの望遠鏡」というイェーナにあるレンズメーカーの名や、「ハイネの詩集」に収められた「ロウレライ」の詩を挙げる。当時、ハイネの翻訳が盛んに紹介されていたが、このハイカラ好きな狐は（正反対な土神とともに）賢治の一側面を示している。

賢治とドイツ文学の関係は、単なる語彙の次元に留まらない。彼の作品には、日本のどの作家よりもドイツ・ロマン派を思わせるところがある。思想や宗教への関心は、初期ロマン派のノヴァーリス（本名ハインリヒ・フォン・ハルデンブルク）に通じる（夭折・早世した点も似ているが、これは外的な類似にすぎない）。『春と修羅』序に、「現象」というカント哲学に遡る言葉が出てくるが、ノヴァーリスもまた観念論哲学や自然学研究に没頭し、未完で遺された詩や散文は、その方面の関心を語っている。有名な『青い花』は、観念の洞窟を巡るような叙述で、正直なところ退屈な側面もある。同じく思想性を担わされていても賢治の童話の方が遥かに生き生きしている。その点では後期ロマン派に数えられるブレンターノやアイヒェンドルフの散文作品に近い。彼らの作品、『ゴッケル物語』や『大理石像』などは、今日「創作メルヘン」と呼ばれている。現実と異世界が交錯することを主題とし、形式的には「歌物語」で、散文の間に多くの詩が挿入されている。そこにも、賢治童話とのジャンル的な相似を見出すことができる。はたして賢治がそうした「創作メルヘン」にふれる機会があったのか。賢治とドイツ・ロマン派との関係は、アンデルセン『絵のない絵本』の仲介的役割を除いて（私見では）ほかに彼自身の言及はないし、また研究もないので、いまのところ確かめるすべはない。

2. 神義論

「神義論」を「神への問い」と言い換えたと先に述べた。それはどういう問いかというと、この世界が神が作った正しく秩序ある世界であるならば、なぜそこに悪や苦しみが存在するのか、子供のように無垢で罪のない存在が、なぜ悲惨な目に遭うことが許されるのか、という問い。ドストエフスキー『カラマーゾフの兄弟』において、末弟アリョーシャに対し無神論者の兄イワンが突きつけるあの問いである。それはむしろ、人生における苦や悪の「意味への問い」だとも先に述べた。それをただ繰りかえすのではなく、むしろ、日本の詩の流れにも同じ主題が見出せることを述べたい。

「神への問い」というと、八木重吉や山村暮鳥などの名が思い浮かぶかもしれない（例えば暮鳥の「荘厳なる苦悩者の頌栄」）。しかし今回は、宮沢賢治の作品にも同じような「問い」*をめぐる作品があることの紹介から出発し、さらに彼の作品（例えば作品集『注文の多い料理店』の「水仙月の四日」）がヨーロッパ詩（文学）の伝統から見るとき、どのように映るのかについて考えてみたい。

『ひかりの素足』という賢治の作品がある。物語は清冽な山の朝の描写から始まる。主人公は一郎と楢夫という二人の兄弟。訪ねていた父の炭焼き小屋から家に帰る途中の峠で雪に巻かれ、彷徨ううちに「うすあかりの国」に入り込む。そこで二人は、同じような境遇の子供たちとともに駆り立てられる。

一郎はこの時はじめてじぶんたちを追ってゐるものは鬼といふものなこと、又楢夫などに何の悪いことがあってこんなつらい目にあふのかといふことを考へました。

「何の悪いことがあってこんなつらい目にあふのか」、これはまさしく、苦しみの意味を問う問いである。

「私たちはどこへ行くんですか。どうしてこんなつらい目にあふんですか。」楢夫はとなりの子にたづねました。…「歩け。」鞭が又鳴りましたので一郎は両腕であらん限り楢夫をかばひました。かばひながら一郎はどこからか「にょらいじゅりゃうぼん第十六。」といふやうな語がかすかな風のやうに又句のやうに…感じました。

その声が「白くひかる大きなすあしの人」が近づいてくる前ぶれとなる。衆生を導く如来の巧みを語る法華経「如来寿量品第十六章」が告げられるこの箇所は、賢治が世界における苦の意味を直截に語ったところ。それはまさしく、「神義論的な問い」に対する答えを告げているところに他ならない。

仏性、法界、空、また縁起とも言い換えられる華厳の世界では、あらゆるものが互いを縁としながら関係し合い、融合・交流している。すなわちそれは、一が即ち一切であり、空にして縁起なる世界とされる。この世界そのものの「はたらき」が自己自身を繰り広げ、自らを具現化する形が、如来の法身であるが、それはまた、如来の方便とも言い換えることができる。つまり方便は、一般の人々（衆生）をそのあり方に応じて教化する手立てとして、「空・縁起」なる「場」を感得可能な（見聞きできる）形で示すものである（如来は人格的存在者というより、「場」の作用というべきか）。「如来寿量品」は、賢治が最も感動して読んだといわれるが、そこでは、賢い医者の譬えを用いながら、無量の（はるかな）過去から無量の未来まで、如来の寿命は尽きず、巧みな手段を用いて衆生を導いていくことが告げられている。

近づいてきた「すあしの人」は一郎に次のように語る。

みんなひどく傷を受けてゐる。それはおまへたちが自分で自分を傷つけたのだぞ。……こゝは地面が剣でできてゐる。お前たちはそれで足やからだをやぶる。さうお前たちは思ってゐる。けれどもこの地面はまるっきり平らなのだ。さあご覧。

兄弟が彷徨う「うすあかりの国」（地獄か）は世界の本当の姿（縁起）ではなく、縁起から背反し自己の煩悩に捕らわれた人間がそうだと思い込んでいる仮象にすぎないというのだ。そのように示されて、「一郎は俄に自分たちも又そのまっ青な平らな平らな湖水の上に立ってゐる」ことに気づく（この「青い湖水」のイメージは、後年「青森挽歌」でトシを尋ねる行程に再び出てくる）。さらに一郎には、これからもとの世界に還っても、そこで「ほんたうの道を」習うように告げられる。すなわちそれは、仏教の言葉で言い換えれば、縁起から背反して自己を実体化し、これを維持、強化しようとする煩悩の歩み、つまり、我を基盤とする欲望の歩みから離れて縁起に合一する道を歩むようにとの謂であろう。

仏教において悪や苦は、煩悩に捕らわれた人間が世界をそうだと思い込んでいる仮の姿、仮象であるが、それはまた、如来の方便として、縁起なる世界が示される場ともされる。実は、ヘブライ・キリスト教の伝統にもこれに呼応する考えがある。神の「本来の業」に対して神の「異なる業」と言われるものがそれである（イザヤ書二八の二一）。それは、神の「右手の業」へと導いていくための「左手の業」ともいわれる。「恵みの神」、「神の愛」とは相反するように見える「審きの神」、「神の怒り」は、そのような神の異なる業とされるのだ。

パスカル『パンセ』では、そのように神が自らその神らしさを否定するという脈絡ゆえに、神は「ご自身を隠される神」と呼ばれている。これもまた預言者イザヤの言葉に遡る表現である（四五の一五）。ヘブライ・キリスト教の神はあくまでも唯一の存在であるから、「啓示された神」と「隠された神」という神の二つの側面として捉えられることになる。さらに言えば、この隠された神の異なる業に帰される悪や苦は、単なる仮の姿、仮象ではない。それらは自然・歴史の具体的な出来事において生じるもので、出来事の持つ重みを備えており、その点では、仏教よりも実体性があるといえるかもしれない。そのような歴史や自然の出来事の背後にある神の他に帰されようがない闇にも、人間の忖度を許さぬ、理由付けを超えた現実の重みがあると言わねばならない。

拙編訳書『神への問い』は、「神の恵み」に慣れたヨーロッパ社会が、啓蒙主義という人間理性を謳歌する時代状況の中で、この神の両面性への感覚を喪った事情を述べている。一八世紀キリスト教は、自然の運行の中に「崇高な神」の証明を求め、神の両面を、人間の知性で理解できるかぎりの範囲に狭めてしまった。しかしそのような理解は、一旦、自然の渾沌そのもの、その敵対としか言えないような現実に直面すると、無力を露呈する。それでもなお、神を自らの知性の側に確保しようとするとき、理解できない謎や苦悩を宗教の外に追いやってしまう。これはむしろ世俗の文学の取り上げる主題となった。宗教の自己疎外がそこに生じた。

正反対の側面をも含めた神の現実が再び見出されるのは、時代を降って二〇世紀に入ってからのこと。キルケゴールからバルトに至る弁証法神学がその一つだし、宗教学者オットーが、宗教の源は単なる道徳ではないとして「戦慄すべきもの（ヌミノーゼ）」を唱えたのもその一つ（オットー『聖なるもの』）。しかし、この「聖なるもの」、ヘブライ語の「カードーシュ」は、もともと旧約聖書に記されてきた本来の神の姿で、例えばヨブは恐ろしいものをも含む創造世界の深淵を知っていた。新約聖書にも「活きた神の手の内に陥ることは恐ろしい」とはっきりと述べられている（ヘブル一〇の三一）。

「神義論」と「神義論的な問い」とは同じではない。「神義論」という言葉を有名にしたのは、一八世紀初めライプニッツの同名の著書。もとは哲学の術語である。神は完全であるからには、その創造した世界も完全で良い世界であるはずだ。精緻な議論がつくされた論述であるが、証明の梗概は以上である。証明はそれで終わるが、「問い」がそれで終わるかどうか。啓蒙の時代を背景に唱えられた予定調和の世界観は、戦争と破壊の二〇世紀を経た我々にはあまりにおめでたく響く。証明され、説明しつくされる神は、人間知性の了解の範囲に収まる神であろう。それに、神義論（なぜこの世界は良いのか）はもともと問いになっていない。神の左手の業しか見えなくなった時はじめて、真の問いが始まるからである。広い意味での神義論あるいは「神義論的問い（何故苦しむのか）」には普遍性がある。しかし狭義の神義論（なぜ神は正しいか、なぜ世界は完全で良いものなのか）はそれ自体、信仰の問いとしては破綻している。理解を超えた神の現実の前で、信仰に固執する人はそういう問い方はしない。神の異なる業しか見えなくなったところで問いは始まる。ただしこの問いには、教理や説教で知性が納得しても、解決はつかない。

神義論的問いは「ヨブの問い」とも言われてきた。旧約聖書『ヨブ記』で、主人公ヨブは、一瞬にして財のみならず息子娘たちの総てを奪われ、「わが生を受けた日は呪われよ」と呻きつつ、「何故？」と神に食いさがる。ヨブを慰めに来たはずの友人たちは、ヨブに、君の状況は君に責任があるのだから、神に義（正しさ）を帰せよと、親切ごかしにまさしく「神義論」を語る（宗教の伝統に則った「因果応報」の説教である）。しかし、ヨブにとって本当の問題は「神義論」などではない。その問いに死生を賭けたヨブは、最後に答えを得て理解したからではなく、神の顕現に直《じか》に出会ったからこそ納得をする。神の現実に直面したからこそ、彼の信仰は宥めを得る（それは知性の納得以上のものだ）。しかし、ヨブの苦悩そのもの（問題そのもの）は、ヨブの悲しみとして深められて内に残ったはず。そこでは、われわれの生の現実として大切なことが言われている。なるほど、ヨブには一旦は喪われた子供も財産も回復される。しかしそこで、めでたしめでたしと読み終えた書を閉ざすだけならば、大切な何かを読み過ごしている。回復された羊、らくだ、牛、ロバの数は失った数の倍と記されている。こうして、以前に倍する財産を回復される。しかし、再び得た子供の数は同じく一〇人。失った子供と同数である。なるほどその子供たちは新しい喜びとなったであろう。しかし、喪った子供たちが生きかえる訳ではない。そこには、取り返しのつかないことがあるのだ、と語られている。喪失の苦悩は深められた悲しみとして残り、ヨブはその悲しみとともに、これを生涯担いつつ生きていく。

「神義論の問い」は、究極においてはやはり、世界を統べる神はそれでも正しい神であると決断する言葉を含む。世にあって様々な悲惨や不条理を味わい、その果てに神の現実に出会い、出会われる。そこで世界の肯定的な意味に固執する決意が導かれる――それが神義論的問いの究極といえよう。宗教が流行らなくなるとともに、そのような問いはあまりひとの関心を惹かなくなった。問いの源としての苦しみや悲惨がなくなったということではもちろんない。むしろ、そうした問いに無関心を装い、帰結を曖昧に先送りする仕方が流行る。文学の状況はどうであろうか。言葉を営みとするからには、もちろんそこに何らかの問いが形として作品化される。答えを求めないというのも、一つの答えであろう。問いは、謎や嘆きとして、問いのままに投げ出される。それが一つの決意の姿、真摯の表明であるならば、それはもうひとつの「レリギオ」と言える。だがそれが、問いを突き詰める行方には関心を抱かず、責任も負わない姿勢であるとすればどうか。作品を生む余裕として確保される判断停止のもとで、曖昧模糊とした無や不安の気分が享受されるとしたら、作品の隆盛の背後で現実世界の衰弱をもたらすのではないか。文学が宗教的なものを不可欠とすると述べるつもりは全くない。ただ人格を導く問いという或る種の倫理性なくして、詩美にだけ導いていく誘惑には与することができない。

賢治の『ひかりの素足』は、ことの核心を賢治にとってより本来的な言葉で語ったという意味で、作品としては信仰を語りすぎているかもしれない。自らその草稿表紙に「凝集を要す／恐らくは不可／余りに／センチメンタル／迎意的なり」と記している。「迎意的」とは、読者に分かってもらいたいと信仰の問題を直截に語りすぎたとの謂か。しかし、詩と信仰が共にする源、その究極を見すえるからこそ、彼の作品世界は多様なものを繰り広げつつ一つの深い響きに包まれる。

『ひかりの素足』において、一郎は再び生を得るが、弟の楢夫は還らない。仏教のいう、空・縁起に生きられぬ煩悩としての苦の現実、それは心得ても、その教えを理解した段階ではまだ救われたとはいえない。その現実との真の合一を得ずして、無我への帰還無くして解脱はない。最後に「すあしの人」は一郎の頭を撫でて、こう語る。

お前はも一度あのもとの世界に帰るのだ。…よくあの棘の野原で弟を棄てなかった。…今の心持を決して離れるな。お前の国にはこゝから沢山の人たちが行ってゐる。よく探してほんたうの道を習へ。

一郎もまた楢夫を喪った悲しみとともに生きてゆく。信仰の真実は、そういう悲しみの重みを知っている。その意味で『ひかりの素足』は、妹トシに対する賢治の関わりを予表する作品。「青森挽歌」の詩群がそこから生まれてくる。詩と信仰がともにする源を『ひかりの素足』は窺わせてくれる。

3. 詩と信仰との源

詩と信仰の共通の源を指し示す作品としてもう一つ、「水仙月《すゐせんづき》の四日《よつか》」を例に挙げる。宮沢賢治が生前に刊行した童話集『注文の多い料理店』に収められた九つの作品の一つ。雪の峠で子供が遭難するという主題は、『ひかりの素足』と共通。変奏された同じ主題からひとつの純粋な響きが結晶してくる。

澄んだ群青の空から舞う雪片。一転して暗い空から吹き付ける風と猛り狂う雪嵐。読むたびに心惹かれる自然描写。その自然のなかに「雪婆《ばんご》」と「雪童子《わらす》」が登場する。いずれも説話・昔話的な存在だが、民俗学的な資料には現れない。賢治の創作らしい。山姥や雪女を連想させる雪婆は、冬の嵐をもたらす西からの寒気団の形象化であろう。そうした神話的形象は、グリム・メルヘンに「ホレ婆さん」として伝えられる水妖ホルダ（北欧神話ではフレイアと呼ばれる）を髣髴する。生殺与奪の力を握った自然神として畏れられる精霊だが、時に恵みの贈与者ともなる。自然の持つそうした酷さと優しさの両側面は、ここでは雪婆と雪童子とに分かたれて担わされている。

そうした神話的な世界が現実と交錯するこの作品の特異な点は、ふつう日常世界から幻想世界を覗くのが一般であるのに、ここでは逆に、異界の方から現実の世界を描いている点である。雪童子にとってはむしろ現実界の方が異界。それゆえ、雪婆は人間の子供の姿を見つけて、「こつちへとつておしまひ」と童子に命令する。雪にまかれて子供が凍死する――この世界の秩序は死を内包している。その運命がこの世界を律する秩序である。雪童子は、雪婆の命令に従い忠実に働くが、この世界ではまだ未熟なためか、危うい子供の命を顧みないわけにはいかない。雪童子とは、かつて自らもそのようにして死に「とられた」子供の精霊であろう。ただこの童子には、死後の世界に移される以前の記憶がどこかで生きており、二つの世界の境目にいて、こちら側の世界の子供と心が通じ合うことを求めてしまう。遠野伝承の「ざしき童子」は間引きされた子供の精霊と言われるが、雪童子もまたそのような存在として描かれている。「『あのこどもは、ぼくのやつたやどりぎをもつてゐた。』雪童子はつぶやいて、ちよつと泣くやうにしました」。子供は贈り主に気づかなかったが、宿り木とは送り届けられた命の徴である。
「水仙月の四日」における向こう側の世界から現実世界を描く視線。そこに棲まう雪童子という存在。この叙述の仕方を顧みると、賢治というひとつの心性の形、あるいはその出来する源を想わないわけにはいかない。この作品もまた歌を挟んでいる。

「カシオピイア、／もう水仙が咲き出すぞ／おまへのガラスの水車《みづぐるま》／きつきとまはせ。」／雪童子はまつ青なそらを見あげて見えない星に叫びました。

雪童子が歌いまた呼びかける大宇宙の進行のリズムに与る言葉、これは祈りの消息に深く触れている。「祈る」とは「齋《い》」を「告《の》る」こと。聖なるものに向かう懼れのなかで、「聖なるもの」を聖と名指すことである。「雪童子は革むちをわきの下にはさみ、堅く腕を組み、唇を結んで、その風の吹いて来る方をぢつと見てゐました」。風は生死の境をも超えた深く透明な淵から吹き付けてくる。古来ひとは懼れるとともにこれに強く惹かれてきた。「雪童子の眼は、鋭く燃えるやうに光りました」。荒々しい混沌を予感しつつ、なお透明な淵源に見入る。賢治という人格と言葉はまさに、そのような人類経験の古層から出発する、死と生、殺と愛とがひとつとなった「聖なるもの」に、古来ひとは懼れるとともに強く惹かれてきた。それは、ある意味で誰にも通じる人類の古い経験だが、そうした消息をこの作品は結晶化させている。この源に発して世界に浸透していく言葉を詩人賢治は聞き取ろうとし、信仰者賢治は、その響きが「まことのことば」へと結晶していく秩序を辿ろうとした。その言葉は生死の境界を窺わせる古層の響きを豊かに湛えているがゆえに、魂を震わせる響きと形象に溢れている。一方で彼の生は、実生活の秩序を「まこと」として疑わない日常思考にとっては、ある種の不器用さを感じさせることになる。

賢治の現実世界との関わりは、私たちからすると彼が向こう側に、むしろ異界にいるという感慨を抱かせる。その隔てとは、魂の深さとしか言いようのないもの。聖なるものへの研ぎ澄まされた意識。そこからかえって彼が「修羅」と名付ける澱みが露呈してくるような、透明なものに浸されているという心性の姿である。賢治の詩そして信は、二つながらそのような憧れに発している。しかし、それは経験の古層においては誰もが味わう意識でもある。それゆえに賢治は「みんなが幸いにならなくては」と語り、そこに語られた共感をなんとか伝えようと志す。境の向こう側からの、ある意味で一方的な共感、それは不器用に投ぜられた宿り木の枝かもしれないが。

聖なるものとは、恐ろしいものであるが、同時に心惹いてやまぬものでもある。死と生、殺と愛をともにふくむ、それらの一つになったものとして、それは、詩と信仰、二つながらの源となる。賢治において、それは、自然の運行、天然現象のただなかで経験される。一方でそれはまた、社会的・倫理的なものを導き出すこともある。旧約聖書に記載された、シナイ山における炎の中での神の顕現（エピファニー）は、イスラエルの民に恐れを呼び起こしたが、十戒前文にあるとおり（「我ヤハウェは、汝をエジプトの奴隷の家から導き出した者」）、イスラエル共同体を奴隷状態から救い出した愛の選びの表明でもあった。追跡してきたエジプト軍が海の藻屑と消えた出来事を目の当たりにして、あふれ出た讃美（「海の歌」出エジプト一五章）は、聖なるものに触れて息をのむ、その沈黙の底から涌き起こる歓喜の隻語である。そのように、詩も信も、死の淵で生を根幹から震わされる体験をまのあたりにしたところに発するという点で、源を一つにしている。

しかし一方で、聖なるものにふれることとは、聖ならぬ者として自己を知ることでもある。死生の境において命の遣り取りの行われるところで、その交換のもっぱら否定面を自己において強烈に意識させられる。イスラエルは、彼らの神に接して強烈にその罪を自覚した。賢治の修羅の認識にも同じ消息がある。彼は、自己の生が他者の死をもたらすという事態を、『なめとこ山の熊』「烏の北斗七星」『よだかの星』と、繰り返し描いている。

「熊、おれはてまへを憎くて殺したのでねえんだぞ… てめへも熊に生れたが因果ならおれもこんな商売が因果だ。やい。この次には熊なんぞに生れなよ。」

「あゝ、マヂエル様、どうか憎むことのできない敵を殺さないでいゝやうに早くこの世界がなりますやうに、そのためならば、わたくしのからだなどは、何べん引き裂かれてもかまひません。」

「あゝ、かぶとむしや、たくさんの羽虫が、毎晩僕に殺される。そしてそのたゞ一つの僕がこんどは鷹に殺される。それがこんなにつらいのだ…」

自分が存在するだけで他に危害を加えざるをえないという関係、そのように成り立っている生への自覚から、賢治の菜食主義は導かれている。彼は、本当に愛であるためには、むしろ自己の死を祈求せざるをえないような境界にいる。そのように成り立っている生は、向こう側からこちらを臨んでいる生のあり方と呼べるだろう。

雪童子はまさにその境涯にある。取ってしまえという雪婆の命令に服さなくてはならない。嘆きがないのは、向こう側にあって聖なるものの間近にあるためか。「えゝ、さうです。さあ、死んでしまへ」。雪童子は突き当たって子供を倒してしまう。雪童子にとって、その行為は自己の存在を賭ける敢行である。その荒々しさが、同時に子供の生存を目指すものであるから。はたして、殺す行為が生かす行為に逆転する。そこで賢治は、雪嵐という現象の中に仏性の姿（法界）そのものを望み見ているといえよう。如来の働きにあっては、生殺は一つであってそのまま真実であるから。敢えて先述の「右手の業」「左手の業」の形象をもっていえば、「異なる業」と深く結んだそのところで、「本来の業」が生起するということ。仏性のあり方そのものへの望み、賢治においてそれは、死生を賭けた戦いとして引き継がれていく。己を修羅と自覚する者として、その願いは賢治の奥深いところから出ている。

4．賢治の「問い」

芥川龍之介『蜘蛛の糸』には、ふと思いついて蜘蛛の糸を垂らす「御釈迦様」への視線に、気ままに骰子をふる勝手な天上の存在への疑念と、（仏教よりむしろ）キリスト教の「神」への抗議が窺える。その意味でこれは、芥川のキリスト教への接近における挫折と失敗した神義論の作品化ではないだろうか。賢治の場合、縁起としての華厳世界についてそのような疑念を抱くことはなかったと思う。ただ賢治にも必死な問いはあった。父から独立する自分探しの旅の途上、喜ばしい応答をもって語り返してくれる「あなたdu」の不在を彼は嘆いている。保阪嘉内ほかの友人たちに折伏に近い迫り方をして、自ら関係の持続を困難にしてしまう様子を、当時の書簡に窺うことが出来る。ひとり妹トシのみが、賢治を正面から受け止めてくれる存在だった。そのトシが先に逝ってしまったことは、彼にとってそのまま受け入れられることではなかった。先に挙げた「私たちはどこへ行くんですか」という楢夫の問いが、まさしく賢治の問いとなったといえよう。それは「神義論」というより、死の意義を尋ね、人生の究極的行方を問うのであるから「終末（究極）論的問い」と呼ぶ方が良いだろうが、意味への問いという点では同じである。

『春と修羅』第一集の一つの頂点はそのような問いによって形作られている。ここでは長編詩「青森挽歌」を取り上げたい。冒頭、夜汽車の旅を描く「水族館の窓」「りんごのなか」という印象的なイメージが読む者の心を捉える。「わたくしの汽車は北へ走つてゐるはづなのに／ここではみなみにかけてゐる」。現実に「逆行」しようとする「希求」が賢治に幻想を見させる。それは「さびしい心意の明滅」に浸っていると見えてくる「さびしい幻想」であるが、賢治の心はそのような幻想に浸っていてはいけないという思いと、「いたみやつかれ」のゆえに幻想に身を任せていたいという気持ちの二律背反を呈している。彼の詩に特徴的な括弧の使用は、ここで、そのような心の姿のずれを映し出していく。

するといきなり、幻想のなかに「du（ドゥ）」が登場してくる。

（お、おまへ du　せわしいみちづれよ
どうかここから急いで去らないでくれ）

付されたルビは「オー　ヅウ du　アイリーガー　ゲゼルレ／　アイレドツホ　ニヒト　フオン　デヤ　ステルレ」。文脈を断ち切って突然入り込んでくる異質な声、しかも詩文である。「ゲゼルレ Geselle」と「ステルレ Stelle」と韻を踏んでいる。出典については、既に究明されている（大塚常樹『宮沢賢治　心象の記号論』）。記憶の中からドイツ語が響きだしてくる。賢治が過去のドイツ語学習のどこかで接した旧制高校用『独文読本』に載っていた詩で、水辺に咲く花が流れゆく水の波に懇願するという文脈の一節。早世したトシへの思いが「せわしいみちづれ」という呼びかけを導き出したといえようが、記憶の中から突然この一節が声となって響きだしてくる際には、この「おまへ（ヅウ）」という重々しい響きがやはり一役買っているように思われる。素朴なトロカイオス（強弱）韻のもとの詩では弱音の位置にあるが、強くゆっくり読むべきであろう。そもそもこの語の喚起する「おまへ」との人称的対峙が「せわしいみちづれ」と呼びかける「私」を意識に上らせるからである。詩的主体としての賢治は、無意識下の記憶から響きだしてきたこの声によって、トシを追いもとめる自分に気づく。その行方について見極めたく思う自分の願いを自覚する。彼は自己の問いにここで向き合い始めるのである。

これに対して「尋常一年生　ドイツの尋常一年生」というまた別の声が響く（二重括弧で先の声と区別される）。これは、先の声に応えて「投げつけ」られた揶揄の声であり、詩的主体から「悪い叫び」として受け止められるが、これもまた賢治のなかの声である。詩的主体が自己をその鏡像と二つに分化させ、鏡の向こう側がこちら側の自己を批評する。（ロマン主義の云う）イロニーの声である。だがこの自己批評は、かえって問いを深める役割を果たす。「夜中を過ぎたいまごろに／こんなにぱつちり眼をあく」と述べられるように、賢治の眼差しをトシの死の現実に向かわせ、トシの（死後の）姿へと詩想を導いていくからである。

あいつはこんなさびしい停車場を
たつたひとりで通つていつたらうか

しかし賢治はまだ幻想から覚めきってはいない。そこで、「草や沼」「一本の木」と車窓の風景を眺めやる賢治に、今度は自然の事物の声が聞こえてくる。「ナーガラ」とは蛇で、「ギルちゃん」とは、蛇に睨まれ死の切迫に身動きならぬ小動物の形象か。この場面は賢治にとっては馴染みの「心象スケッチ」によって、感覚が物語的に変容され、あるいは演劇的に詩の声は多声（ポリフォニー）化していくが、そのような場面を形成する詩的主体は、既に自覚されている問いに対して距離を保ち続けていると云えよう。
詩的主体は、意を決してようやく幻想から自己をひきもどす。

かんがへださなければならないことは
どうしてもかんがへださなければならない
とし子はみんなが死ぬとなづける

そのやりかたを通つて行き
それからさきどこへ行つたかわからない

「どこへ」という楢夫の問いがはっきりと登場する。この問いに思考の筋道をつける（「かんがへだす」）ために、詩的主体は感覚を超えた向こう側へと入り込んでゆこうとする。「感ぜられない方向を感じやうと」して、死の床にあったトシの言葉を回想する（「耳ごうど鳴つてさつぱり聞けなぐなつたんちやい」）。トシの感覚を追体験しようとする試みが続けて記されていくが、回想はやがて、死の床のトシに「わたくしがその耳もとで／遠いところから声をとつてきて／…／万象同帰のそのいみじい生物の名」を告げた場面を導き出す。この「生物」は、すこしあとで、「巨きなすあしの生物たち」として出てくるが、如来の換喩であろう。しかし、如来やその法（縁起）の世界について、ここで直接言及することはない。ことを教学の言葉では敢えて語らないところが、いかにも詩人賢治の詩人らしさを告げている。賢治にとっても信仰はただちに詩ではないのである。

「わたくしがその耳もとで／…／そのいみじい生物の名を／ちからいつぱいちからいつぱい叫んだとき／あいつは二へんうなづくやうに息をした」。賢治はトシの確かな応答を確信しようとする。「けれどもたしかにうなづいた」。だが確信を求めることはむしろ、不確かさに晒され疑念が忍び込んでいる証拠でもあろう。それゆえに、詩的主体はここで別な声を呼びこんでくる。「ヘッケル博士！／わたくしがそのありがたい証明の／任にあたつてもよろしうございます」。再び、詩的主体の思考の筋道を揶揄するイロニーの声である。この箇所については解釈が分かれる。魂の行く先をも問題とした当時の精神科学や、死生をも統一的に説明する一元的な進化論生物学（哲学）への賢治の関心を指摘する研究もある（秋枝美保）。しかし、この自己の鏡像からの声に対して「卑怯な叫び声」と告げるのは、科学であれ仏典であれ、初めから理論・教学の言葉どおりに行って済ませはしないという詩的主体の決意表明であろう。先に「神義論」に関して述べたように、整えられた思考の次元で納得できるか！　という、否の声である。むしろこの自己イロニーの声自体が、たとえ教学の言葉であっても「ありがたい証明」に逃げ込もうとする自己の姿を詩的主体に気づかせる役を果たしている。おまえのやろうとしていることは（「神義論」と同次元の）理論への逃避であって、自分の本当の願いから眼を逸らそうとしているのではないか。詩的主体はこの「卑怯な叫び声」によって逆に奮い立たせられて、決意表明に至るのである。

この決意もまた詩的主体は内なる声として聞く。

（宗谷海峡を越える晩は
わたくしは夜どほし甲板に立ち
あたまは具へなく陰湿の霧をかぶり

からだはけがれたねがひにみたし
そしてわたくしはほんたうに挑戦しやう）

「けがれたねがひ」とは、当時流行していた擬似科学や心霊術に身をゆだねてみようという迷いの表出ではなく、自らが真実とする教えの歩みを自らの願いに突きあわせ、わが身において実験しようという意志の表明である。その「わたし」への固執の故に「けがれた」と云われるのである。「実験」とは、内村鑑三の言葉であるが、賢治に相応しい言葉で言えば「実地踏査する」という決意表明であろう。もちろんそこには、結果として自己の破綻・破滅もありうるはずだという覚悟がひかえている。その意味で、この詩的主体は闇に直面している。『ひかりの素足』や「水仙月の四日」で、晴朗な彼岸世界や死生の隣り合う世界を描いている賢治の透徹した視界は、ここでは失われている。自己の願いに閉ざされた無力は覆うべくもない。だがここで賢治はその無力を受け入れている。それが賢治における信の誠実であった。

詩集『春と修羅』に収められなかった詩稿「宗谷挽歌　一九二三、八、二」の末尾には、「挑戦」の実相を窺わせる詩句がある。

永久におまへたちは地を這ふがいい。

さあ、海と陰湿の夜のそらとの鬼神たち
私は試みを受けやう。

「試み」という言葉を語りうるのは、むしろ「信仰の人」であればこそ。自己を捉えてやまぬ問いに正面から身をもってぶつかっていこうという態度である。「受ける」とあるように、向こうから迫ってくる死生の問題に、知情意また信の総てを賭けて向かい合う真実が問われている。ここに、心霊術や擬似科学を装った呪術への迷い込みを読み込もうとする解釈は、信の世界とその現実に疎いと云わざるをえない。宗谷海峡で何が起こったか。詩「宗谷挽歌」は、作品としてまとまらず断片に終わっている。「試み」への覚悟を告げる先の箇所で中断しているように見える。作品の破綻は、そうせざるを得ない何かが起こったということを表していよう。出来事そのものを語り得ないとき、そこでは沈黙せざるを得ない。生じた闘いが語り得ないばかりではなく、そもそも初めから敗北・破綻の他に行き着きようのない闘いであったということ。そのような途方もないものに向き合う試練（「試み」）と知りつつ「挑戦」する。そのような賢治の姿勢は、伝統の伝える信の途に破綻することを知りつつ、信に固執し神に挑戦した「ヨブの問い」に通じるものを感じる。

詩「青森挽歌」自体は、そのような闘いを予感しつつ、トシの死の床の記憶から、その死後の行方について、感覚を超えた世界を思い描く方向に向かう。以下は抜き書きと要約によってまとめる。

そこに碧い寂かな湖水の面をのぞみ／…／やがてはそれがおのづから研かれた／天のる璃の地面と知つてこゝろわななき／…／移らずしかもしづかにゆきする／巨きなすあしの生物たち／…／それらのなかにしづかに立つたらうか。

ここには『ひかりの素足』で一郎が知った天上界がふたたび描き出されている。だが、良き転生だけではなく、悪しき転生も思い描かれる。死後のトシは「暗紅色の深くもわるいがらん洞」の「中にまつ青になつて立ち」「ひとりなげくかもしれない」と。そのような想念の進行に対して、詩的主体は、自ら距離を置こうとする。

…がいねん化することは／きちがひにならないための／生物体の一つの自衛作用だけれども／いつでもまもつてばかりゐてはいけない。

なるほど、転生については、教学のうちに語られていても、それは事に筋道をつけようとする理論であることにはかわりない。世親の著した『阿毘達磨倶舎論』の「分別世品第三」には、死者が次の生を受けるまでの「中有《ちゅうう》」の諸相として転生が描かれている。「むかしからの多数の実験から／倶舎がさつきのやうに云ふのだ／二度とこれをくり返してはいけない」。教学の言葉は他者の経験を述べてはいても、私の問いに応え、納得させる「わたしの実験」ではないと、先の確認が再び繰り返される。するとまた、「おいおい　あの顔いろは少し青かつたよ」とトシの死顔をあげつらう声が聞こえてくる。これに対して、詩的主体は「すべてあるがごとくにあり／かゞやくごとくにかがやくもの」という仏性の本来のあり方を示す言葉に立ち返ってゆくが、その過程で「けつしてひとりをいのつてはいけない」と、過去の記憶からの促しの声を聞く。この「呼びかけ」を受けて、詩「青森挽歌」は、自己を外へ開いてゆく最後の転調をする。

ああ　わたくしはけつしてさうしませんでした
あいつがなくなつてからのあとのよるひる
わたくしはただの一どたりと
あいつだけがいいとこに行けばいいと
さういのりはしなかつたとおもひます

車窓に映る現象に導き出される想いに翻弄されながら、自らの立つ立処に依ってかろうじて歩みを進めようと願う歩みは、最後のこの美しい祈りへの収斂によって、作品としてのまとまりを確保する。

教理・観念ではなく、一人の信の人としての実験、実地踏査の敢行。それが「どこへ」とトシの行方を問う問いの実相である。その追求は、（ある意味で予期されたように）挫折に終わった。その出来事そのものは、語りえないこととして沈黙するか、あるいは隻語の記録に留める他はなかった。その跡は、やはり断片に留まった散文「サガレンと八月」、殊にこの草稿の後半に窺えるとされている。主人公タネリは、母の禁止の忠告を無視した罰として、犬神に蟹の姿に変えられて暗い穴に閉じ込められる。これが「禁忌を犯した」賢治の破綻を映すといわれる。作品としてはまとまりを欠くこの散文の後半部分だけは、のちに「タネリはたしかにいちにち噛んでゐたやうだった」に改作された。そこには、周囲の自然と境目なく繋がっていた自然児タネリが、その境目に開く沈黙に気づき、向こう側から不気味な何かに見つめられる事態が描き出される。賢治に残った謎、（私の言葉で言えば「神の左手の業」としての）人間の現実が死において何か敵対する虚無に晒されていることとの承認が窺える。しかしここではむしろ、「サガレンと八月」の前半の響きに注目したい。風の言葉や波の呼びかけ（それらはこれまでも賢治の言葉に反響していた）が、ここでは実存の内深く達する仕方で賢治を我に返し、己の姿を見させている。詩「鈴谷平原」にも窺える諦念のような静けさが漂う一方で、そこには、明るい世界の澄んだ悲しみの中に、何か決定的なものが響き始めている。詩的主体の一人称の中に様々な形象の声を響かせていた「心象スケッチ」から、本当の意味で事物の声が響き出す「多声世界《ポリフォニー》」として、物語の生起してゆく場をそこに窺うことができる。

5. 賢治における「呼びかけ」

保阪嘉内に対し信仰を強要する手紙を記した賢治ではあったが、稗貫農学校の教諭となって以降は、折伏をも辞さぬ強硬な信仰姿勢は報告されていない。トシの病そして死を挟むこの時期に、そのような変化は先だって並行的に起こり始めていたが、信仰姿勢に決定的な変化をもたらした節目という意味で、この樺太旅行の意味は大きい。この時期、賢治の詩の手法に(「青森挽歌」を例に取れば)さほど大きな変化は見られない。感覚に映るもの響くもの総てを写す際に情念によって形を変容させてゆく「心象スケッチ」という様式はかわらない。だが、この時期以降しだいに、自然の事物が自ずから語り出す趣きへ、しかもより晴朗な響きへと移りゆくのではないか。詩や物語に関して云えば、より構成的な形を採り始める。「これらのわたくしのおはなしは、みんな林や野はらや鉄道線路やらで、虹や月あかりからもらつてきたのです」という『注文の多い料理店』の序や、「鹿踊りのはじまり」の書き出しは、「サガレンと八月」の風や波の言葉と響き合っている。そのような響きへの移行を考える時、この旅が賢治に与えた決定的な意義を窺うことができる。

賢治における修羅の問題とは、先に『なめとこ山の熊』「烏の北斗七星」『よだかの星』の例で見たように、自己の生が他者の死をもたらすということ。これが一つの相である。しかし、そのような修羅を意識する者としての、修羅の二重性をいまひとつの相として挙げることができる。詩「永訣の朝」において、「こんどはこたにわりやのごとばかりで／くるしまなあよにうまれてくる」というトシの言葉を記す前に、彼は「わたくしもまつすぐにすすんでいくから」と記している。賢治にとってトシの歩みは「まっすぐ」なものと意識されている。詩「無声慟哭」では、「おまへはひとりどこへ行かうとするのだ」という「青森挽歌」に繰り返される問いに先だってこう記されている。

ああ巨きな信のちからからことさらにはなれ／〔…〕
わたくしが青ぐらい修羅をあるいてゐるとき
おまへはじぶんにさだめられたみちを
ひとりさびしく往かうとするか

賢治は、自分よりもむしろトシの方がまっすぐに進んでいくと感じている。宮沢トシの生涯については、賢治の影響下にあったという以前の理解から、むしろ独自の思想を営むものであったという理解に移りつつある（山根知子『妹トシの拓いた道』）。日本女子大において、成瀬仁蔵の薫陶のもと、またタゴールの思想にも接して、広い意味でのキリスト教を養いとしていたことが窺える。賢治の法華経への執心を受け止める心の広さをも獲得していた。そのようなトシが自分の生涯を一途に進んでいくとき、同じように一途になれない自分を賢治は自覚していた。それは、賢治が言葉による途を選んでいたためである。（詩であれ何であれ）言葉を残すことは、信仰者にとって本質的なことではない。そもそもなぜ、妹の死の場を三編の詩に留めなくてはならないか。詩人の毫も疑わぬ営みだが、その営為は信仰者の心には隙間を空ける。詩「東岩手火山」で、生徒たちの実習に付きそう姿を述べた言葉に、これを説く鍵がある。「私は気圏オペラの役者です」。心象スケッチは、自身の姿をも言葉で描いていくが、詩人性とは、そのような特筆された自意識に立つ。そのような言葉への、また「わたし」への執着こそ、賢治における修羅の二重性として、トシの死を前に深く受け止められていたのではないか。キルケゴールであれば「詩人的存在は罪である」とのべる消息。透明な本源世界のなかで、透明に澄み渡ってゆけない自己の存在を、賢治はより深刻に受け止めた。トシへの「呼びかけ」はこれを証言している。「青森挽歌」に描かれたトシの行方を尋ねる旅は、一方でこのような修羅の意識を携えての旅であった。そのような意識と深く結んだ問いとして、賢治の問いはもともと破綻を含んでいる。破綻する他はない問いを敢えて問わざるを得ない。それは、トシを思う切実な心に発するが、賢治の信もまたこれを要求した。これを避けて、教学を鵜呑みにする仕方では、信そのものが成り立ち得なかったからである。そのような意味において、賢治の心に響いた「おまへ du」という「呼びかけ」には、主の受難の後、エマオの途上で、姿を変えたイエスにたいして「止まってほしい」と懇願した弟子達の切実な請い求めに通うものを感じる（釈迦の入滅を前に嘆く弟子達の思いに通じると云ってもよい）。そのように重い「呼びかけ」であった。旅のおわり、初めから挫折を含んだ問いは、果たしてその通りの結末をもたらした。出来事それ自体の経緯は語られず、また語り得ないたちのものかもしれない。しかし、それが何を意味したかは、その後の賢治の意識の変容において辿ることができるのではないか。修羅の自覚、それはもとより無くなることはない。しかし、その二重性の意識には変化が生じた。敗残の思いに心身ともに消耗して佇む賢治が、心象スケッチへと向かう意識の構えを自覚する前に、自然の事物が先に語り始めた。その向こう側からの「呼びかけ」に、賢治はしずかに応えている。「サガレンと八月」の前半部が語っているのはそのような世界ではなかろうか。譬えて云えば「視覚」から「聴覚」へ、能動的な自己意識から双方向的な受容と共鳴への自然な移行が、失意の悲しみの底で与えられた。そこに、より深い意味での「多声《ポリフォニー》世界」の交響が形成されていく。だが、もとよりこれは一回的出来事と云うより、予感としては先だって並行的に、そして以降は生の進展とともに達成されていく変容として与えられた。

それは、言葉の相にも映されていく。詩の言葉にもこれは窺える。賢治の多声世界の典型として「鹿踊りのはじまり」を見てみたい。付された日付は先立つが、最終的に『注文の多い料理店』に収められている。これは童話というより、演劇的な二人称の言葉に充ちた詩の先取りと云えるのではないか。語り手は風。風の言葉を聞くという設定で始まる。聞き手は、物語作者ないし詩的主体（＝「わたし」）である。登場人物は一人、嘉十だけ。だが彼は行為者ではなく、むしろ観客のよう、能舞台のワキのように振る舞う。シテは誰か。会話をし、歌い踊る鹿たちである。この作品は、天然の天蓋のしたに繰り広げられる一つの言語作品として結晶している。なによりも長閑で爽やかな肯定の響きに充ちている。その響きはしかし、背後に澱や濁りを抱きつつ、蒸留と醇化を経た階調なのである。信の言葉は語られずとも、その晴朗世界の肯定は詩と信のふかい結びつきを窺わせる。信仰の言葉もまた、折伏ではなく寛容へ、総ての立場を容れて包容する域へ歩んでゆく。「青森挽歌」の主題を引き継いだ『銀河鉄道の夜』は、稿を改めるごとに直截に信仰を語る部分が省かれていく。宗教文学から詩的結晶への移行は、むしろ信仰の言葉自体の深まりとして与えられている。

＊『校本宮澤賢治全集』第二巻、第七〜九巻、第一一巻（一九七三／七四）。

十一、屹立する詩精神
――伊東静雄とヘルダーリン

1. 伊東静雄とドイツ文学

青年時代の日記『詩へのかどで』（二〇一〇刊）を繙くと、伊東静雄がすでに高校時代からドイツ語を熱心に学ぶ姿を目の当たりにする。京大では国文学を専攻したが、専攻外のドイツ文学、例えば成瀬無極の講義を聴き、ゲーテ『ヘルマンとドロテーア』、シラー『ヴィルヘルム・テル』の原著を購入し、近頃は独文研究者でも触れないレーナウの訳詩（櫻井政隆訳の大冊）にも接している。その後も、メーリケ『プラーグへの途上のモーツアルト』、ニーチェの対訳、トーマス・マン、ヘッセ、ケストナー他の名が、日記・書簡には挙げられる。茅野蕭々訳の『独逸抒情詩集』刊行をも待ち望んでいる。

ただ不思議なことに、伊東静雄は「手垢に汚れた和独対照」のヘルダーリン詩集を、座右から手離さなかったというが（小高根二郎「霊信、伊東静雄へ」）、この詩人への直接の言及が見当たらない。ヘルダーリンの詩の訳を発表していたとの証言（吉田正勝「一冊の詩集」）もあるが、全集の「譯詩」には短い一節を載せるのみ。伊東のヘルダーリンへの傾倒は専ら、大山定一のエッセイ「伊東静雄とドイツ抒情詩」の想起に基づけられる。第一詩集『わがひとに與ふる哀歌』出版の直前に保田與重郎と連れだって伊東を訪ねた際に、その「書架の一段全部に、ぎっしりドイツ語の書物がつまっていて、そのすべてがヘルダーリンとその文献」だったと。当時ドイツ文学者でもまだ注目する人の少なかったヘルダーリン関係の書物を伊東はほとんど洩れなく揃えていた。さらに大山は、伊東の第一詩集の「詩作の方法が、ヘルダーリンとの対決のきびしさを明瞭に物語っている」とも言う。今日、この対決の存在は誰もが認める。しかし対決の様相や動態について、語られることは乏しかった。[*1]

2. ヘルダーリンの文体

『わがひとに與ふる哀歌』（一九三五）の詩は、[*2]伊東静雄のそれ以前の詩の文体と隔絶している。杉本秀太郎はこの詩集全体の解釈において、ヘルダーリンの小説「『ヒュペーリオン』を、伊東の詩句の典拠として挙げようと思った」が果たせなかったと述べている（『伊東静雄』一九八五）。対決が皮相に留まらず本質的であればあるほど、決定的なことは言い難い。だが、両者の「共鳴」について「着想」の披瀝は許されよう。

まず『わがひとに與ふる哀歌』の「哀歌」。その「哀歌」ないし「悲歌」は、もともとヘルダーリンが傾倒したギリシアの詩型の一つ Elegie である。六脚韻と五脚韻の二行を連ねていくこの詩型の最初の作品をヘルダーリンは短く「哀歌」と題したが、試作時の原題は「メノンのディオティーマ哀悼歌」。『ヒュペーリオン』の女性主人公の名が登場する。この書簡体小説では、「ヒュペーリオンからディオティーマに Hyperion an Diotima」という仕方で名宛人が示され、物語が展開する。「に與ふる」にはこの前置詞 an を聞き取ることができる。

その他にも、「行って　お前のその憂愁の深さのほどに／明るくかし処《こ》を彩れ」という翻訳調の命令、また「如かない…切に希はれた太陽をして…遍照さするのに」という倒置も、ドイツ語の語順通り。さらに「私は強ひられる」というような受動表現、また、数行を記した後に初めて挿入される呼びかけなども欧文に著しい文体だが、伊東だけに特徴的とは言えない。ただ、後者の一例として「愛されるためには／お前はしかし命ぜられてある」という、逆接接続詞を文頭にはおかず、ひとこと言った後に述べる形。ドイツ語の「しかし aber」は、ギリシア語の逆接接続詞 ge と同じく（文頭ではなく）文中に置かれる。リズムの溜をつくるこの効果を伊東は意識していると思われるが、これもまたドイツ詩一般にあてはまる。

大岡信は「抒情の行方—伊東静雄と三好達治」において、この詩集の冒頭に「晴れた日に」が置かれたことへの「焦らだち」を語っている（『蕩児の家系』）。「この詩では、語の文法的なつながりの糸が、意識的に何箇所かで断たれている。あるいは、はぐらかされている」。

遠いお前の書簡は
しばらくお前は千曲川の上流に
行きついて
四月の終るとき
取り巻いた山々やその村里の道にさへ
一米《メートル》の雪が
なほ日光の中に残り
五月を待つて
桜は咲き　裏には正しい林檎畑を見た！
と言つて寄越した

「遠いお前の書簡は」と書き、以下八行をおいて、「と言つて寄越した」につながる。これを大岡は文法的な破綻と言う。さらに「詩の完成ということに対する疑念を方法的に詩作のエネルギーに転化」する志向を挙げ、「ヘルダーリンに学んだ伊東静雄の詩の中にも、それはかなり濃厚なかたちで存在していた」と述べている。「こうした詩法が失敗したときに、はじめに見た『晴れた日に』…のように、詩の構造全体が収拾つかないほどに乱れてしまうのだ」。だが、はたして失敗であろうか? 詩を書き始めた頃、筆者にはそのような文体の強いる緊張感にこそ惹かれ、心の切り立ちを覚えた経験がある。

大岡がこの詩の文体の典拠として挙げるヘルダーリンその人の例を見てみよう。後期へルダーリンの様々な詩型の試みの一つ。

あたかも祭りの日に、農地のさまを見るべく
一人の農夫が朝まだき、出でゆくように、そのとき…

と始まる詩は、同じく、以下七行、昨晩からの嵐に打たれた野がかえって天与の雨に潤い、朝の陽光に葡萄樹が、また杜の木々が輝く、と歌い継ぎ、第二連の冒頭に至って初めて、「そのように彼らは恵まれた天候のもとに立つ」と帰結部をつなぐ。農夫の営みとこれを出迎える「彼ら」すなわち万物とが、第二連の冒頭で出会い、向かい合う。この直喩には、第一連の九行全体が、それとともに世界の存在総てが充填されている。緊張を強いる

この構造は、そのような自然の生成を受け止める詩人の使命と高揚を語るこの詩の主題に相応しい。伊東がこの詩を意識したかどうかは別として、緊迫した文体への志向に、両者に共通の資質を認めうると筆者は考える。
この詩は未完に終わっている。突然「悲嘆《かな》しい哉、私は Weh mir!」と、正反対の情念が介入し、なお数行を経て断ち切られる。この箇所をも含めれば全体のまとまりが壊れる。今日流布版の詩集では、整った部分だけが捨てがたい作品として提示され、断片部分は省略されて、点線で置き換えられる。伊東の「かの微笑のひとを呼ばむ」の冒頭二行は、それを受容・模倣したものであろうか。言い表しがたい情念の緊迫を孕む沈黙として。

3. 詠嘆と屈折

そもそも対極的情念の結合と転換は、ヘルダーリンの詩を本質的に特徴づける要素。伊東もこれに惹かれたらしい。本章冒頭にふれた全集の「譯詞」、次の一行。

冬が来たなら、何処に、草花と、陽の光と、土の影とを　覓《もと》めよう。

これは「あたかも祭りの日に」とほぼ同時期の短詩「生のなかば」第二連冒頭の部分訳で

ある。その第一連で、梨の豊かな実り、咲き満ちる薔薇を描き、さらに、仲むつまじく「口づけに酔いしれる白鳥が／聖なる醒めた水に頭《こうべ》を浸す」と歌う。この幸福と調和の光景に、第二連冒頭で再び Weh mir! が衝突する。

悲嘆《かな》しい哉、私は、
何処に私は求める、冬来たらば、なお花を、何処に陽光を
また地の陰を？
壁は立つ
言葉なく冷たく、風の中
旗が鳴る

ヘルダーリンの詩においては、調和への憧憬と現実への嘆きが分かちがたく一つに結んでいる。詩人の人格においても、この対極のもの、清澄な世界への一途な希求と、その純粋さ故にこそ生の限界に直面して墜落する悲嘆が隣り合わせで存在した。この二連の短詩はその端的な表現である。伊東静雄にも同じ響きを聞き取ることができる。晴朗な空の明るさに込められた悲嘆の深さ。対立する情念の共拍を『わがひとに與ふる哀歌』は冒頭から「晴れた日に」「曠野の歌」「私は強ひられる――」「田舎道にて」「真昼の休息」と、頁を

繰るごとに響かせる。短詩「詠唱」には「アリア」とルビをふりたいほどに。自然も太陽も「美しく」輝く（「帰郷者」「わがひとに與ふる哀歌」）。しかしこの陽光は同時に「希われただけの虚の姿でもあり、この「日光」の中には「音なき空虚」が「忍びこんでゐる」。

ヘルダーリンの詩における対立するものの共在、それは語彙の次元でも肯《うけが》える。「生のなかば」第一連の「聖なる醒めた heilig nüchtern」という「オクシモロン（撞着語法）」は彼の詩に頻出する（他にも詩「帰郷」冒頭の「明るい夜 helle Nacht」「穏やかに急ぎ langsam eilt」など）。予期せぬ結びつきは、忘れがたい印象を残す。伊東においても、「氷れる谷間」のような緊迫したリズムを刻む詩には、「おのれ身悶え手を揚げて」「憂愁に気位高く」「にほひを途方にまごつかす」など語の異様な結合のもたらす緊張を認めることができる。ここにも両者の資質の近さと言葉の同質性を指摘できよう。

河野仁昭はその「伊東静雄論」において、ツヴァイクのヘルダーリン像「無限への墜落」を引き、詩と人生の呼応の観点から、伊東との近接と異同を論じた。「無限者」「生」を純粋に追求し、ついに惨敗するヘルダーリンの境涯に伊東は深い共感と憧憬を覚える。一方自分は、羽ばたく以前に強いられた「墜落」に、初めから敗北と「デカダンツへの近接」を意識せざるを得ない。これは「昭和初年の時代的状況」であり、「伊東と同じく、ドイツ・ロマン主義に学んだ保田與重郎たち『日本浪漫派《［ママ］》』の文学者の出発点も、ほぼおなじであった」と。だがそれは、単なる昭和という一時代の状況であろうか。

『わがひとに與ふる哀歌』の全体から、詠嘆とは別な響きもまた聞こえてくる。意識の「屈折」と言おうか。保田與重郎はこれを示唆し、伊東を「イロニイとクセニエン」に恵まれた「傷ついた浪漫派」と呼んだ。同時代の独文学者、茅野蕭々は『独逸浪漫主義』（一九三六）において、「浪漫主義イロニー」をこう解説する。「浪漫的」の詩は作品と作者の中間に詩的「反省《レフレクシオン》」の翼に乗って浮き漂う。作者は作品を超越し、「作者自身をも作物それ自体をも批評的に観察する」。だが詩的反省の翼が切望されるのは、無限を憧憬する詩的自我が、己が有限を自覚するからこそ。ヘルダーリンの純粋に殉じた錯乱と、ハイネの挫折を経た自我の屈折、いずれもがその果てに帰結する。伊東静雄の自恃と自己への批評性とは、後者に近い。「新世界のキィノー」「静かなクセニエ」などはその典型である。

4. 屹立する詩精神

『わがひとに與ふる哀歌』は、「晴れた日に」に始まり、「曠野の歌」「帰郷者」「有明海の思ひ出」「河辺の歌」と、「故郷」の主題を繰りかえす。「帰郷」はヘルダーリンの主題でもあった。ハイデッガーのヘルダーリン論の影響下に、伊東静雄論の多くは「故郷喪失」の「漂泊」をそれらの詩に読み込もうとする。故郷を愛しつつ厭う二律背反のうちに自己形成をとげた伊東は、「故郷喪失」のニヒリズムをその抒情詩に彫琢したと（鈴木亨「伊東静雄三題」)。「自然は限りなく美しく永久に住民は／貧窮してゐた」と始まる「帰郷者」の表白は、イロニーによる自己回帰に終わる。「晏如として彼らの皆が／あそ処で一基の墓となつてゐるのが／私を慰めいくらか幸福にしたのである」。これに比べて、ヘルダーリンの足取りは、むしろ素朴なリズムを刻んでいる。「古きものは確かにある。育ち実を付ける自然の移りゆきにも、生きて愛したものは、みな懇ろに残されている」。「愛しあう者たちが再び見《まみ》える時、喜びがその処に相応しく浄いものとされるように」(「帰郷」)。

いまひとつ、この詩集の内に繰り返される「わがひと」の呼称にも同じ事情を窺うことができる。

群るる童子らはうち囃して
わがひとのかなしき声をまねぶ……
(行つて　お前のその憂愁の深さのほどに
明るくかし処を彩れ)と

この「わが去らしめしひと」は、『ヒュペーリオン』では、ディオティーマという生きた個性を担う。愛する者に別れを告げるヒュペーリオンに対して、ディオティーマはこう告げる。「あなたは、光のように降り注ぎ、万物を甦らせる慈雨のように、人間の世界に降りて行かねばなりません」[*3]。

杉本秀太郎はこの詩集全体を、詩人とその分身との対話として読み解いた（前掲書）。「私の放浪する半身　愛される人」と呼びかけられる「わがひと」の醸す恋愛詩の趣きは、分身の両性具有性に依るとされる。解釈の徹底には瞠目するが、それ故の無理な綻びも垣間見える。他者としての女性の対峙を無視しきれるか。いずれにせよこの詩集からディオティーマの影を拭いきることはできない。では、恋人の他者性が詩人の自我に接近する事情はどのように生じたか。伊東静雄の若き日の日記『詩へのかどで』には、親鸞やキリストへの言及もみられ、伊東なりの純粋への希求が記されている。互いの精神の向上を願うストイックな愛という点で、素朴だが『ヒュペーリオン』に通いあう真摯な告白も聞かれる。「百合子サンハ私ヲ立派ニシ、又私ハ百合子サンヲ立派ニスル」。浪漫的イロニーの「反省」は、合わせ鏡に自己を映すように詩人の自我を増幅させる。詩人としての成熟は「わがひと」を普遍化し、顔を奪う方向に働いた。

「ぼくたちは山頂の端に立ち、東の彼方を眺めやった。ディオティーマの目は大きく見開かれていた。愛らしい顔が、蕾のように、天の微風を受けてかすかにほころび、そのままことばとなり魂となった」[*3]。これに比べて詩「わがひとに與ふる哀歌」で手を携えて歩む人、「あゝ　わがひと」と呼びかけられる相手は、他者としての実在を感じさせない。「私たちの内の／誘はるる清らかさを私を信ずる」という言葉への応えはない。その姿は、イローニーに映された詩人の投影を窺わせる。「人気ない山に上り／切に希はれた太陽をして／殆ど死した湖の一面に遍照さする」、それは詩人独りの使命である。

山に向かいつつヘルダーリンは、詩人の使命をこう告げる。「胸中忠実に／神的なものを保つ者は、喜んで地上に留まり、叶うならば／君たち天上の言葉よ、君たちのすべてを説き明かし、歌おうと思うのだ」（「アルプスの麓で歌う」）。「わがひとに與ふる哀歌」の詩人は、ヘルダーリンのように天地の媒介者たらんとして両者の間に立ち、人々に語りかけるのではなく、自ら屹立する詩精神として独り高みに立とうとする。二世紀に亘る、近代という大きな隔絶が伊東静雄とヘルダーリンの間にはある。むしろリルケの詩「心の山頂にさらされて」に近い響きを聞くのは、伊東静雄もまた我々と同じ近代後期の人であるから。だが、この隔絶を問い直すことが、今日もういちど詩の意義を問う問いに繋がる。伊東が、のちに第一詩集への屈折した想起を語り、リルケの物象詩へ近づこうとするのも、この隔絶の自覚に起因するものと思われる。「私はうたはない／短かつた耀かしい日のことを／寧ろ彼らが私のけふの日を歌ふ」。

＊1　『伊東静雄研究』（富士正晴編、思潮社、一九七一）。
＊2　『増補改訂 伊東静雄全集』（桑原武夫他編、人文書院、一九六六）。
＊3　ヘルダーリン『ヒュペーリオン』（青木誠之訳、ちくま文庫、二〇一〇）。

十二、屹立から歩行へ
――秋谷豊における「帰郷」

1.「帰郷」の主題

古来、帰郷また望郷は詩歌の重要な主題であった。近代詩においても、北原白秋の「帰郷来」、室生犀星の「小景異情」、萩原朔太郎の「帰郷」、中原中也にも「帰郷」の詩がある。さらに伊東静雄の「河辺の歌」「帰郷者」などが思い浮かぶ。「帰郷」はどの詩人も執着する主題だが、たいていは郷里に対する詩人の屈折した心が歌われている。秋谷豊はその詩文にしばしば萩原朔太郎の名を挙げるが、編著書『詩で歩く武蔵野』でも、萩原の詩「帰郷」を紹介している。「汽車は曠野を走り行き／自然の荒寥たる意志の彼岸に／人の憤怒を烈しくせり」と、結尾に激昂の記されるその詩である（『氷島』所収）。秋谷はこの詩の解説に、「上野発七時十分、小山行高崎廻りの夜汽車で、朔太郎は蹌踉《そうろう》として上州の故郷に帰ったのであろう。『汽車は闇に吠え叫び／火焔《ほのほ》は平野を明るくせり』烈風の中を、列車は浦和、大宮、鴻巣と埼玉の平野の町を過ぎて行ったのだ」と述べ、「『帰郷』はまさしく武蔵野の詩であった」と結んでいる。これらの町ごとに鴻巣また浦和は、秋谷豊が生まれ、暮らし、また活動を行った地として、彼の「武蔵野」のイメージの要をなす地名でもあった。

この編著のまえがきに秋谷は「広大な武蔵野の範囲をどこにおくかは、さまざまな議論のでるところだが、ここでは、西は秩父の山すそ、関東平野を貫流する荒川と多摩川に沿ってひらける町々や田園地帯」さらに「埼玉の東のへりの古利根川。元荒川。湾岸の巨大都市東京をふくむ」と述べている。それは、没後に編集された選詩集『秋谷豊の武蔵野』(二〇一七)に集められた詩が繰り広げる「武蔵野」のイメージとも重なるだろう。秋谷豊がそれらの地域を扱った作品を詩集に収めたのは、その第七詩集『辺境』(一九七六)が最初である。以降、『ランプの遠近』(一九八二)、『砂漠のミイラ』(一九八七)、『廃墟と山靴』(一九九二)、『時代の明け方』(一九九四)、『探検』(一九九七)、『日本海』(二〇〇五)と、順に刊行した各詩集の後半にはつねに「故郷」を歌った詩が載っている。それらはときに「故園抄」「浪漫主義」「愛の光景」などの名でひとつの章にまとめられている。選詩集に集められた、およそ五〇編を数えるそれらの作品は、秋谷豊における「帰郷」の詩と呼ぶことができるのではないか。それらには、故郷を主題とするようになった動機や、帰還に至るまでの歩みの経緯が述べられ、彼の生涯と詩作の全体像が窺えるものとなっている。*1

この章では、秋谷豊の（人物と業績の全般を扱う余裕はないが）詩作品の全体に照らして、これらの詩が持つ意義を述べてみよう。その際に専ら、作品に内在する言葉に注目し、解釈する方途を採る。秋谷豊の歩みを、彼自身の言葉によって辿ってみることとしよう。*2

2. 墜落・垂直（吊されて）・漂流 ——戦後詩としての出発

戦争中すでに四季派の影響のもとで詩作を続けていた秋谷豊は、敗戦直後の混乱期にいち早く再出発し、のちの「荒地」等に連なる人々などと交わりつつ独自に「地球」（第三次）を創刊した。掲げた「ネオ・ロマンティシズム」が運動としてどれほど浸透したかは別としても、戦後詩に新たな抒情の形を志向して集った「地球」の詩人たちを牽引する中心的存在として大きな役割を果たしつつあった。秋谷自身の詩もまた、社会への視点と思想性を備えた優れた抒情詩としての評価を得ていった。

専ら刊行された詩集に限って辿るならば、『辺境』には六冊の詩集が先立つ。『遍歴の手紙』（一九四七）、『葦の閲歴』（一九五三）、『登攀』（一九六二）、『降誕祭前夜』（一九六二）、『冬の音楽』（一九六九）、『ヒマラヤの狐』（一九七三）。それらにまとめられた詩は、秋谷が「地球」などの詩誌に載せたものであり、併行して多くの評論集、紀行エッセイ集、詩華集をも著している。度々行った海外登山や辺境紀行に基づいてそれらの詩文は記されていったが、ほかにも「現代詩工房」を設立したり、新聞詩欄の選評、各賞の選考委員、各詩人団体の長を務めるなど多彩な活動をしている。『ヒマラヤの狐』には、参加した世界規模の詩人大会で賞を授与されている。こうした営みをとおして秋谷豊は、詩集『辺境』の刊行時、すでに詩壇に確固たる地位を占めていた。

そのような彼の経歴を、専らその詩集に注目して辿ってみよう。「私の青春の詩的体験に、大きな影を落としたのは、堀辰雄とリルケであった」と秋谷豊は晩年に振り返っている（『現代詩史の地平線』）。戦争中に記した詩を集めて成った第一詩集『遍歴の手紙』は、その一編「牧歌」の表題が示すように「四季」派的な雰囲気を残している。秋谷の詩が社会的抒情詩として独自の響きを得るのは、戦争という時代の現実と正面から向き合った第二詩集以降においてである。まずは第二詩集『葦の閲歴』と第四詩集『降誕祭前夜』を中心にすえて、その言葉から秋谷の詩の特徴を彫りだしてみる。両詩集に通底するのは、まずその「夜」の暗さである。さらに、詩人の自己認識を示す言葉として、（一）「墜ちる鳥」のイメージ、（二）「吊されている」という姿勢への言及、さらには（三）「流されてゆく」あるいは「さ迷う」群衆への視線を挙げることができる。それらは、秋谷豊の詩における「垂直」への志向という表現でまとめられるであろう。

（一）リルケは神を見失った時代の「夜の深さ」に近代人の不安を歌ったが、その詩「秋」における万物の落下（「すべてのものに落下がある」）を、秋谷は『葦の閲歴』において、射ちおとされ「墜ちる鳥」のイメージで受け止めている。「ざわめく防風林の奥／射ちおとされた野鴨の両眼に／白い霧が凍っていた／…／死ねない野鴨が羽ばたく／ぼくは寝返りばかり打っていた」（「北国」）。「見もしらぬ兵士が／ゆっくりと歩いてくる／かれの眼の激烈な照準のなかに／はりつけられた一羽の鳥／…／焦げる文明の化石を／むなしく破裂させながら／鳥は墜ちる！」（「流血」）。思想の形象化と言葉のリリカルな響きは、すでに秋谷独自のものである。

（二）『降誕祭前夜』では、時代状況との対峙がさらに徹底され、言葉は生への実存的問いとしてさらに深められる。そこで秋谷は、戦時また敗戦後の社会に投げ出された自己の孤絶と不安の姿を、夜の街角に「吊された鳥」の姿で提示する。

ぼくが南方へ行っていた長い間も
羽毛をむしられて
おまえはさむい冬の街角に吊されていた
（「降誕祭前夜」）

冬が来たら　鳥を撃とう――
［…］
ざわめく都会の夜の中につるされている／鳥よ
（「歳月」）

「鳥」の形象にとどまりつつ、ここでは「夜の中につるされている」という負の「垂直性」が、彼の生を映すものとして示される。そのような表現の切り立ちと言葉の「屹立」が逆説的に詩精神の証とされている。「ぼくには生が死の意味であった／死が生の意味であった」(「終りし夏」)。この逆転こそが実感であり、生きた経験の重みであって、安易な生の約束に軽々しく自己を結ばないという想いが吐露されている。

『降誕祭前夜』は、キリスト教的な形象に充ちている点で秋谷の著作中独自の位置を占めるが、なかでも長編詩「神」は、西欧近代文明への問いかけを、死生の意味の逆説的追求という形で思想的に突き詰めた作品である。この詩集の「あとがき」で秋谷は、詩集全部の主題を、集中一作品の表題「神」に要約する。「ぼくは歴史の流れというもの、ほろびた文明の象徴として『神』をかいた。この『神』は背徳を背徳と感じない毒としてわれわれ『人間』の中に今も巣くっているのだ」。

立ち去れ　父よ
そしてふたたびかえつてくるために

ヘルダーリンの讃歌「パトモス」(第一連終行)を想起させる丈高い呼びかけをもって始ま

ることの詩は、「神＝父」とする西欧的主題に正面から切り込んでゆく。「空から落ちる父の顔をぼくは見た」。神という焦点を失った西欧文明の本質は人間本位（欲）である。その後追いをして総てが灰燼に帰した戦後日本の状況を秋谷は見つめている。しかし、その「人間性の危機」に直面して、なお残された解答として再び安易に差し出されている途（占領者の宗教もまたそれである）、これもその本質は「毒」すなわち「たちきれぬ欲望の末裔」に他ならない。これには自己を結び得ないという自覚のもと、秋谷の生と詩は自ら意図的に安寧を覆し、自らを放逐していく。よすがとなるのはそのような自己の姿勢しかないが、この自己もまた時代の夜にどっぷりと浸されている。文明の秩序にいまなお結ばれているからである。そのような行方の知れぬ脱出のための不可欠な助けとして、逆説的に、他ならぬ「神」の介入が求められる。秋谷にとって「神＝父」は、（実体としては存在せずとも、総てがそこへ収斂していく）「虚焦点」となり、そこに「釘づけられ」「吊される」ほどに強く捉えられる仕方で、はじめて彼の生は問い糾されるものとなり、詩はその「屹立」を獲得する。
「神＝父」への問いかけに、現実の裏付けを与えるのは、秋谷の出自、少年時代の記憶である。秋谷の「郷土詩」はその経験をより平易な仕方で明かしてくれる。

　ぼくの敵は父なのであった

母が生れた土地を二度と踏みえなくなったのは
あの父のせいだと子供心に思っていた
だが父はかなしい［…］
ぼくはよく母のおともをして
田舎牧師のいるその教会へ行った［…］
母は長いあいだ聖母の前に坐っていた［…］
もし母がいなかったら
ぼくは神など思うことはなかっただろう

（「幼年時代」、『辺境』）

秋谷にとって「父」とは、拒みつつもなお執着せざるをえない、二律背反的な愛憎の対象である。「ぼくから神がいなくなったのは／遠くの空で神が火花を散らしたからだ」と、秋谷は後に戦争のもたらした思想的帰結を示唆する（「暮春憂愁」、『時代の明け方』）。だが、その転換は、所謂「神の死」という時代モードへの表層的な切り替えではない。実の父の記憶という出自に深い裏付けを得た経験に基づいて、この国の風土に深く根を張った思想詩が結実している。

「神＝父」こそは、日本の戦後社会に対する秋谷の対峙を（屈折した否定性においてではあるが）言葉の極北へと「垂直」に引き上げてくれる係留点であった。

（三）こうした秋谷の「垂直性」への志向は、どのような時代状況に対するものか。詩集『降誕祭前夜』はこれをやはりひとつのイメージで提示する。

くらい都会の夜
燃える叢をよこぎつて／薄汚い群衆のなかのおまえのさまようところへ
ぼくはもどつてきた

（「降誕祭前夜」）

「おれと夜の間を長い長い軍列が流れてゆく／そいつは煉獄のはてから来た」（「背嚢」）。「ぼくのうしろに大きな群衆の列があつた／／夜明けにそれらはやつてきたのだ／明日になればすべての群衆は／歌い／明るくなりはじめた幻影の中を流れてゆくだろう／…だが／それがどこへ向つて流れてゆくのか／ぼくにはわからない」（「その時」）。

共通するのは、「暗い夜」を「流されていく」群衆とその中を「さまよう」ぼくのイメージである。戦後の混乱期に、孤絶感のみを共有する人々が行方も知れず流されてゆく。大衆運動の薄明るい希望の提示に対しても、「欲」を免れぬものとして秋谷の視線は懐疑的である。だが彼には、自らに帰すところの「放逐」を流される群衆から峻別し、その断絶を越えてなお孤絶者間に共感を結びうるような指標はない。そのような彷徨を一点に係留してくれる聳え、切り立つものへの希求が、逆説的に「吊されて」という負のイメージとして示される。それが、「神＝父」への屈折した呼びかけであった。
だが一方で秋谷は同じ『降誕祭前夜』の内に、希求としての言葉の切り立ちが、負の方向を向いたままに肯定される別な場面を描いている。さまよいの地平を抜けることは叶わずとも、果てしのない流れの一点が、そのまま垂直に切り立つ境地を、次の一節は象徴的に表現する。

どてつ腹に魚雷命中
あたりはまつくら
一〇〇メートルの火柱をふきあげ
鋼鉄の斜面が垂直になつて沈むところだ
おれは黒い油の海をふかぶかと流れていつた
重油に汚れた顔をつきだし
おれはフカのように流れる
［…］
——二十年の間
おれは黒い油の海をふかぶかと流れていつた
汚れた腕を波の上につきだし

何かを叫びながら
深い霧の中で
おれは現在も泳ぎつづけているのだ

（「漂流」）

計り知れぬ深淵の上を流れゆく「漂流」には、切り立つ高みから釘づける神の垂直性に代わる、あらたな鉛直性が言い表されている。「ふかぶかと」は平易な表現だが、独自な仕方で用いられている。「ふかぶかと流れていく」のは海ではなく「ぼく」。この表現は、生の否定性をもそのまま肯定する独特な「深み」のイメージとして、第六詩集『ヒマラヤの狐』にも用いられていく。

人生のながれのなかに枯葉をうかべるように
人はそうしてながされてきたが
［…］
たしかに男と女のながれは太古からあった　とぼくは思う
そうしてぼくは暗い夜明け
ふかぶかとながされていったのだ

（「夏の漂流」、『ヒマラヤの狐』）

自然や世界の大きさのなかで、とどまりを知らぬ人間存在の卑小を見据えつつ、敢えてその不可知な姿に自らの位置を確認する眼差しがここにある。「まぼろしの雪男のいる部落では／体に菜種油を厚く塗ったチベットの女が／息をひそめ冷たい肌をすりよせて／ふかぶかと神に祈っていた」（「一枚の地図」、『同』）。このような祈りの屹立は、秋谷豊が他方で繰りかえし表現する登山者の姿に重なる。

3．登攀・歩行・斥候　――山の詩から辺境を辿る詩作へ

「垂直」の姿勢を肯定的に受け止める志向を、秋谷豊は詩集『登攀』においてくっきりと形象化している。「ぼくはこの地点がいつか崩れるのを知つている／落下する無数の何かが／いきなりぼくを空間へ放り投げるだろう／あの太陽を横ざまに切つて／みるみるぼくは落ちていくだろう」（「雪と岩と太陽」）。

その岩壁には　ねむるべき石も
休むべきテラスもなかつた
ぼくらをいまこんなに垂直にするものは
なんであろう

［…］
ぼくは思う　ふいにぼくの生涯が墜落する
この薄明のなかの／それは荒々しい季節の予感なのだ
と――

（「登攀」）

詩集『冬の音楽』にも次のような箇所がある。「明け方ちかく、夢の中で、ぼくは激しく落下するのだった。ぼくの眼には空に向かって垂直にのびてゆく氷の壁があった。にぶく光っている鋼鉄の物体が、重く、暗い、眠りの底へ垂直におちてゆく。それは岩のセラックに仲間たちが打ち残していったアイスハーケンだった」（「雪の上の足跡」）。「ぼくは山で無残な死に立ちあう／ふかい空の闇のなかへ／いきなり　ほうりだされ／…／六〇〇メートルの垂直の岩壁の真上には／行きつくことのできない空がひろがっているだけだ」（「孤独の岩壁」）。

登山は秋谷の詩に内容・素材を提供するというよりも、彼の精神の姿勢そのものである。死に直面した生の積極的な肯定が、登攀と詩作を一つに重ねる。第三詩集『登攀』は、『降誕祭前夜』にわずか二ヶ月先だって刊行された。創作は、併行して進められていたことになる。おそらくはそこに、『降誕祭前夜』で時代状況との対峙を結晶させた後、彼がその方向での詩作を続けなかった理由がある。敗戦後の混乱期に詩作の場に立ち戻った秋谷は、時代の困窮の中で存在と生の意味を問う営為において、他の詩人達と途を同じくした。しかし、個の日常や社会との取り組みを専らとした詩人達と違って、そこから出てゆく途を知っていた。それは新たな途の開拓というより、古き道に立ち返ることであった。「兵隊に行くまでぼくは山の詩を書きつづけた」（「岩と雪の間のノート」）と述べるように、戦争は山を諦めることであった。「ぼくの最初の岩登りは武甲山の屏風岩だつた。草つきの石灰質の岩稜《リッジ》を三人のパーティで登つたのである。あのときの仲間はみんな南方で死んだ」。戦後、「戦い終つて山にのぼる日は来たれり」と記して、秋谷は山に還っていく。しかしそれは、戦争と山、二重に重ねられた死の場を見つめる孤独の時への帰還でもあった。「岩に打ち込むハーケンのように／一つの言葉が／ぼくの心に打ち込まれる／集中地点に同じ経験が集まるのだ／ぼくが詩を書こうとするとき／それはもう経験ではない／どんな冬の中でも／そこに夏の光を見ることができる／…／氷りはじめる夜の中から／ぼくを解き放つもの／一つの境界に／石のようにぼくをよこたえるもの」（「集中」）。登攀は、死生の狭間に立つという意味において、秋谷豊の詩法とひとつであった。

「ぼくの山々はいつも孤独な週末の安息だつた。登攀の記録よりも、アルピニズムというものの行為の意味を一人のなかで静かに考えてみたかつたのである」と秋谷は記している（「岩と雪の間のノート」）。人類学的な観点からいえば、山とは神宿るところとしての浄き高みであり、聖なるものとの交流の場であった。そこは、北欧神話のアスガルズのように激しく求心的なイメージから、額田王の三輪山のように懼れと親しみが重なるものまで多様である。日本の修験道のように、地上からの険しい隔たりが瞑想と思想形成の場を供する場合もあるが、ヨーロッパでは専ら、カルタゴ戦争の戦略や弾圧下のユグノーの山越えのように登山は必要あってのみ為されてきた。西欧近代において初めて「登るために登る」行為、いわゆる「近代登山」が始まった。その目指すものは未到の高みへの挑戦である。秋谷の詩文を辿ると、そうした近代登山の追求を近代人の孤独との関連で捉えた思考に出会う。遭難を扱った次のような一節である。

刃のようなみずからの愛に傷ついたかれは凍って
神のほむらに永遠に復讐されつづけるだろう?
[…]
かれは大戦にイタリアの兵士だった
神のいない頭上の深い空のなかに
真昼の星がまばたくだろう
かれが登りつめたのは〈頂上〉ではない
それは荒々しい雲にまかれ
ひとり

生きていることのあかしであったのだ
（「ヒマラヤK2」、『ヒマラヤの狐』所収）

神を喪失した西欧近代人が、自我に固執し精神の内的聳立に存立の意義を求めた、その志向と近代登山の発展は軌を一にしている。秋谷は、明治の末近く岩登りの技術が日本に受容されて以降、六、七〇年で日本に近代アルピニズムが確立されたと振り返り、自らの登山もそうした近代の刻印を受けていることを認めている。しかし一方で、流れを遡って水源を尋ねる、源流への憧れが日本の近代登山開拓期の人々にはあり、これが彼らの山登りの出発点であったとも述べる。「この山への思考には、山を単に岩と雪の塊だけと考えない、自然の信奉者としての浪曼《［ママ］》的精神が深くこめられている」と共感を語っている。山行き、「それはぼくにとって現在の存在を確かめる行為ともいえるし、人間の故郷に立ちかえっていく遠く長い道すじであるような気もする」（「山をめぐる断想」）。この告白は彼の「帰郷」の詩を考える際に重要である。

秋谷豊が「浪曼的精神」と述べる時、それは彼が若い頃に傾倒した「暗いドイツ的ロマンチシズム」の主知的な近代性とは違い、幼時の憧れに発した素朴で健やかなものであった。山に惹かれた動機を秋谷は、「郷土詩」の一つ「浪漫主義」（『砂漠のミイラ』）にこう告白している。

少年時代　あの秩父の山に登った
武甲山の赤茶けた岩の頂きに
雲が驚くほど近くかかっていた
そこにあがれば　はるかに海が見えるだろう
けれどいずこにも海は見えなかった

山行きは少年の憧れから始まった。充たされなかった少年の素朴な期待はかなえられないまま、「海」に象徴される広い世界を見てみたいという願いへと形を変えて行く。

少年時代　ぼくは海を見たいと思った
海はどこまで行ったら見られるか
しかし平野の果てから果てまで歩いても
海はなかった〔…〕
子供の頃からあこがれてきた
幻の国の幻の海
それをいまたしかめようと思う
黒い嵐の吹き荒れる砂の海を

われわれは徒歩とロバで横断した
キャラバンでぼくが愛したのはロバであった
［…］昼はまだ深々とした闇だった
（「海の道」、『同』）

垂直を攀じることから水平の広がりへ。秋谷の山行きが海外登山へ、そして西方辺境の踏査へと展開していったのは、ある意味で自然な推移であった。

詩集『辺境』から『ランプの遠近』へと彼の詩を辿っていくと、幾重にも「歩行」のイメージが重ねられているのに気づく。「平原の驢馬には／どこまで歩けば／安らう村があるのか」（「驢馬」）。チベッタンの隊商は「夕暮のどんな村へ行っても／彼らに休むところはない／それはぼくらとておなじことだった」（「辺境」）。「わたしは長い間　危険なくさむらや／けもののふみあとを歩いてきたと思う／…／しばらくはお別れだ／あの八月の氷河の塔の頂きまで／わたしはこれから歩いていくのだから」（「もしかある日」）。「半世紀はニュースのように新鮮だ／わたしは五十年を歩いてきた」（「一九七〇年代」）。齢五〇を越えて、歩行は人生そのものの言い換えとなる。「ああ　やさしさはどこにあるか／ラクダで行くにせよロバで行くにせよ／ぼくはそこまで一人で歩かねばならない」（「やさしい時代」）。これらの詩においては、かつての「漂流」の意識が、弛まぬ「歩行」として積極的に受け止め直されている。

「斥候《ものみ》よ、夜はなお長きや」（『辺境』）はそのような転換を告げる詩として画期的である。

光りのない暗い夜を／いま彼らは前線へと出発してゆくのだ／／ぼくも歩きつづける　ぼくは斥候なのだ／ぼくの足は　砂漠を歩き　氷河を歩き／永遠を歩く／山でも　戦場でも／ぼくはつねに斥候だった／それは不安な夜の時／…／ぼくの敵である　夜／…／にがい夜の終りを／ぼくはただそこで待つのだ／…／ぼくは闇を怖れた／夜を怖れた　たしかにその夜は長かった／三十年　ぼくの中に埋もれたまま／さびついてしまった暗黒のイマージュ／…／ぼくはじっと考える／文明なんてたいしたものではない／愛も　信仰も／自らを欺いて十字架を遺したにすぎない／インドでも／フィリピンでも／ぼくの夜は／異教徒の闇に満ちていた／銃をかかえて／マリヤのうしろの方に歩いていく／ぼくは神の使徒ではない／ぼくは斥候なのだ／飢えて世界中の地平を歩きつづける／どこまでも歩く／煉獄の火の中で燃えほろびる／青銅の幻影をぼくはえがいた　そして歌った

表題は旧約聖書イザヤ書二一章一一節から引かれている。敗戦直後、時代と文明を正面から問い糾した詩「神」との照応ゆえに重要な一編である。時代の暗さ、夜の表象は変わらないが、闇の現実は真っ向から受け止められている。砂漠においては人間が培ってきた文明、「どんな人間のランプも闇である」と秋谷は語る（「遠征」、『砂漠のミイラ』）。その認識を踏まえ、「自分にできることは／月明の闇のなかで／暗い夜と一つになること」と秋谷は述べる（「阿倍仲麻呂」、『廃墟と山靴』）。既存の価値の領域から（距離的にも）遠く離れ、その前に新たに出来するものの意味を知り得ずとも、辿るべく定められた途をどこまでも歩む、その歩みそのものが肯定されている。歩行を積極的に受け止め直した自恃が語られている。

詩集『ランプの遠近』また『砂漠のミイラ』には、そのような歩行を等しくするものや、声なき生きものへの共感が幾度も述べられる。仏教を伝えるべく大陸から渡ってきた人々（「慶州仏国寺」）や、二〇〇〇年前に楽器を負って夜道を辿ってきた姿さながら、荒地にひとり立っている馬（「幻の馬」）。「何千年も前から／ロバはぼくらの夢のなかを／ああして歩きつづけてきた」（「さすらい」）。詩人は、暗い夜をひたすら歩んできたものに自らの生を重ね、先人や歴史への思いを馳せる。辺境の即興詩人の曲に耳を澄まし、声の方向へ歩いて行く。歩くことの意味を考えながら。「ヘディンの探検記にも出ていない砂漠を／ラクダのくらにしがみついて旅することは／栄光を歌うことではない／…／天にかかる虹をみるために歩行すること／英雄でないこと／大きな自然は間近にあった／いまぼくにできることは／遠く地図のなかから人間を見つめること／樹の影さえない白い陽の砂漠で／たくさんの影とひとつになること」（「探検」、『砂漠のミイラ』）。

砂漠では湖も河も茫漠とした砂のなかに消える／そんな生きて帰れないかもしれない砂漠は／だれもが未踏のままでいることで美しい／…／そのとき少年とぼくの上を／紋白蝶が白日夢のようにひらひらと飛んでいった／あの蝶ははるばる西方から飛んできたのだ／…／その夜　やみにつつまれたテントの中で／ぼくは神様を待っていた

（「シルクロードの蝶」、『同』）

死生の問いが身近になる辺境を旅していると、広大なものも卑小なものも、ただあるものとして等しく並んで見える。歩行の疲れのみを体に感じつつ進んでゆくと、遠くのものが近づき、真実の姿が浮かびあがってくる。ひとがあるがままの姿で見えてくる。過ぎ去ってゆくものとして、本当に美しいもののみが目にとまる。本当に大切なものを心は想う。秋谷が「神」と名指すのはそのような真実であろう。それは「言葉」に先立つところの「ことば」、「真実」であり、あるいは「詩」と呼んでもよいものであろう（作品ではない、作品に先立つところの「ことば」である）。

人はなぜ暗黒を通るのか
ぼくが村へ行くのは飢えているからである

咽喉が渇いているからである
だが　ぼくの想像力をひらくのは
言葉ではない
砂嵐の平原を通ってきたぼくらの言葉
アレキサンダーの血をひく村々を過ぎてきたその言葉
たしかにぼくらは言葉を持たなければ進むことはできなかった
村は正午であった
ぼくらはゆっくりと乾いた川の岸を下って行った
岸辺を下ることで
ぼくは神を待っていた

（「砂漠の言葉」、『廃墟と山靴』）

秋谷は「神」という言葉から立ち去ってはいない。「神」を語る文明の向こう側に抜け出てしまったのである。

少年時の素朴な憧れに発した秋谷の山行きは、大陸のおおきな自然と歴史の中を歩むことを通して、人間の生死を見つめ、存在の根源に向き合う歩みとなった。その営みの中で、詩とその言葉もまた、その存立を問い返され、その本源の姿に返される。本源の言葉とは、抽象的な概念語ではない。具体的に、死者たちの言葉を想いつつ代わりの生を生きることであった。秋谷の記憶に残された死者たちの記憶として、彼らが失った命と時を彼らとともに負うことであった。「ぼくは戦後を座礁し／ぼくだけ生きのびてきたのだから──／／…／どんなに時代が変わろうとも／ぼくはただ死のなかに生きてるだけだ」（「遠い海景」、『廃墟と山靴』）。後年になっても、秋谷はそのような心の消息を告げる一連の詩を書いている。「夏の最後の蟬の声がすると／眠っていた記憶が目をさます／ずっと眠っていたのではない／夜も目をさましていたのだ／眠れずにいるから／ぼくは毎朝　詩を書くことにしている／…／日の遠さのなかを／背嚢を背負い　ぼろの軍靴をはいた青年が／足をひきずりながら歩いて来た／そのとき落伍した兵士のぼくは／幽霊のように叫びながら／よごれた運河と群衆の長い列の間をさ迷った／…／そうしてぼくは生きてきた／／詩人は炎熱の砂の地面を蹴っているロバのようであり／時代は何億年もの遠方から反射する／薄明の光のようでもある」（「真夏の世代」、『同』）。

　かつて秋谷は、自らを「撃ち苦しめるものを／おれはキリストのように／負うことはできない」と書いたが（「背嚢」、『降誕祭前夜』）、辺境に出会う人々はみな、素朴にその生を負い、道端に出会う死者の身をも担っていた。彼らの歩みは秋谷の眼差しを恬然とさせ、言葉は屹立を離れ、しっかりと歩行の幅を刻んで行く。先に引用した詩「浪漫主義」は、終連にそのような歩行の姿を描いている。

砂漠の死のような道をたどり
水平線へ出ることをひたすら求めながら
ぼくは歩いて行った　そして歩きながら
ラクダの背に揺られる死者をぼくは見つめた
［…］
ぼくのあまたの夜　ぼくの長い歩行
このさびしい地方に
ぼくはなぜ来なければならなかったか
それは少年のときからずっと
ぼくが歩いてきたからだ　あの隊商のように
死者を自分の背にひきあげながら

そのような人間の本源の姿を見つめるところから、秋谷豊の「郷里」の詩は書かれ始める。「硝煙と油で汚れた海を／北へ流されてきたそのあたりに／兵の名は刻まれる／／長く磨滅し生きつづけた／この歴史のふしあわせな時代に／詩は幻影であり得ようか／ぼくは武蔵野の正午を立ちどまる」（「海戦」、『廃墟と山靴』）。戦後の混乱期、死者たちへの負い目を負って歩み始めた秋谷豊の詩が絶えず立ち返っていった本源の姿が、武蔵野に重なってくる。

4. 武蔵野から秩父へ――時代の明け方を望んで

海外に往き、山に登り辺境を辿り、その際に太古の風土と歴史の中に暮らす人々に接し、昔ながらの言葉を生きる即興詩人の歌を耳にする。人間存在の本源を訪ねるような旅のさなか、秋谷豊は、原郷への遡行を自らの来歴にも重ねていった。旅と帰還を繰り返すうちに、自らの出自と故郷へ立ち返る想いは深められ、作品が生まれていった。それらは、帰国の時を外的内的に契機とする点で、やはり「帰郷」の詩と呼ぶことができる。

章の冒頭に、近代詩人の多くが「帰郷」の詩を記したと述べ、彼らの作品は心の屈折を含むと述べたが、秋谷豊にも、たしかに似たような屈曲を窺うことができる。「故郷」を語る秋谷の言葉には両義性がある。生を受けた町、鴻巣は一方で暗く、一方で育んでくれたやさしい町であった。この町は父母の記憶を呼び起こすが、幼い目に映った父母の姿は、それぞれに隔たりの痕を秋谷に残した。父の権威への密かな確執と、慕いつつも親しむ時の乏しかった母。この町は、母の思い出とともに「暗いやさしい夜」として秋谷の心に沈潜した。母は「神」への思い、また詩への促しを二つながら少年の秋谷に遺してくれた。廃屋となっていた生家で、かつて少年は「近代を病む詩人」萩原朔太郎を読んだという

（「武蔵野」、『辺境』）。

「ぼくはこのとおり落伍者です」
三十年ぶりに墓の前に立って
ぼくは土蔵のある家のことを考えていた
そこでは何かしら傷口が暗い口をあけ
古い酒樽が一つおかれ
土間の戸がはずれ　また一つの戸がはずれていた

（「鴻巣」）

帰郷者の心を映す廃屋の描写は秀逸である。「ぼくは母の暗闇から出てきたが／平野のなかの町は　もっと暗い」（「鴻巣」、『辺境』）。しかし、辺境の旅から帰還して、秋谷は、どこであれ人間はその「暗さ」において通い合うことを肌で知っている。その経験のゆえに故郷の生の営みの暗さにも今は共感することができる。その共感は、時の隔たりを近づけ、所の境を越えてゆく。暗さへの共感こそが、秋谷の帰郷詩の通奏低音である。

何百年前の戦いを「五月の草が記憶しているこの平野の展望」は、「世を経てもわけこし草のゆかりあらばあとをたづねよむさしののはら」の一首を遺した武人の想いを介して、秋谷自身の戦時の経験につながる（「暮春憂愁」、『時代の明け方』）。また「天文十五年四月の川越夜戦で」戦死した松山城代の討死を、秋谷は「墓もなく／彼の行方は茫として知るべくもないが／古い土蔵の中で少年の私がふと見つけた／馬上の幻影は現代にいたる」と記す（「馬上の少年」）。武蔵野は戦乱の記憶を重ねてきた場所なのである。また、防人歌碑を読み、一千年の前に征旅に旅立つ男を見送る妻の髪がムラサキ草のように微風に揺れる、その様を秋谷は想う。それは「武蔵野の暗く美しい自叙伝」の一章に相応しいと彼は言う（「ムラサキの衣」、『辺境』）。

秋谷はまた武蔵野の道に思いを馳せる。「この平野に人ははじめに道をつくった」、その「行方も知れない彼方に行きつくための道」から「なんと多くの悲しみや喜びや涙が／ぼくらの上を通りすぎていったろう」。秋谷にとって、それら基本的な感情のことばこそが、詩・芸術の真髄をなす。それは、ロバを引いた隊商が通る道で出会った吟遊詩人の声に響いていたものと同じだと秋谷は言う（「遠い道」、『砂漠のミイラ』）。戦乱を逃れた「古代朝鮮半島からの渡来者たちは／原野の果てにいかなる道をつくったか？」（「冬の川」、『探検』）。「ぼくは思い描いていた／…／滅ぼされて故国を失った人々の心を／それから何世紀もの後に／ぼくらの暗夜の時代があった」（「高麗」、『辺境』）。戦いの苦しみを等しくするところに深い共感が導かれる。「高麗」等の文字が今なお昔を語るように、秋谷にとって「地名は心の地図」なのである（映像詩「武蔵野」、『探検』）。「幻のような地図と取り組んできたぼくよ／自分がこの地図の上のどこにいるのか／知ることはないが／言葉と言葉の反響のあいだを／遠く遠く漂って／生きてきたことに何の悔いがあろう／だが稲妻のかくされた切っ尖《さき》が／望遠鏡で　はっきりと見える」。繰り返された人の死生の彼方に、命を交わす本当の営みがある。その本源に照らされると、現代の文明の歪みが逆に明らかになる。「ぼくが望遠鏡でみたものは／黒いお化《ば》けになった　ぼくらの影だ」（「新年の地理」、『廃墟と山靴』）。

秋谷は武蔵野の夕日を愛した。幾度か歌っている。「一枚の地図の記憶にかくされている遠景がある／ぼくはその地図を　抽出しの奥からとり出して／いま　武蔵野の夕映えのなかで読む」（「武蔵野の地理」、『日本海』）。夕日は時の隔たりを縮める。「枯れかかっている武蔵野を／写真機をかかえて一日歩く／この日のふしぎな明るさをもった最後の夕映え」の中、「歴史は荒れ放題の草地の彼方に／いまは小さく見える」と言い、思い出として遠ざかる過去、戦争の影の濃い時代を振り返る（「冬の夕焼け」、『廃墟と山靴』）。夕日は、生涯を見渡させる仕方で、過ごしてきた生涯の熱を鎮めてくれる。現代の武蔵野は「はてしない地形とともに／あの落日の景色を見失ったが」（「武蔵野」、『ランプの遠近』）、少年の時見たその夕焼けこそは、秋谷の生涯の起点となった。

「ぼくが高い山に憧れるのは／この平野に生まれ育ったせいだ」（「武蔵野」）。夕日に黄昏れる西の空には秩父の山並みが聳える。故郷鴻巣の町並みはかつての街道に沿うが、信濃へ至るその道の途上に秩父は位置し、山々は武蔵野を分かつ国境となっていた。「少年の日からきみは　ぼくの主題だ／ぼくに最初の憧れを与えてくれたきみ」と秋谷は秩父に呼びかける。「人影のなくなった冬の野を越えて／なつかしいきみのふところに戻ってきた」（「冬野」、『ランプの遠近』）。武蔵野は秩父に抱かれた母の懐である。初めての秩父登山は、見慣れた景色の育みからの巣立ちであった。

独立峰の孤独な地点に立って
あのはてしない光景を眺めなかったなら
一生　山に登ることはなかったろう
（「両神山」、『廃墟と山靴』）

辺境の旅から帰って、秋谷は再び呼びかける。

両神山よ　きみは元気か？
ぼくも元気だ　山靴ははきふるしたが
天山の氷河や黄砂の道を踏んでいる

秩父の山並みの麓への帰還は、命の深みとしての郷里の歴史へと目を向けることであった。武蔵野という空間の境をなす秩父は、現代という時の縁取りをなす出来事をも区切りとして持つ。歴史の夜明け、しかし「まだ中世のように暗い」明治維新に透谷は生きたが、「月が沈めば／詩人の詩も暗闇だ」。そして「おふくろの匂いのような／…／なつかしいやつら」（「秩父困民党」、『辺境』）。「明治十七年――荒れはてやせた山畑に烽火があがった」その出来事もまた暗い。自然もそこに住まう人々の歴史も「ぼくにとって暗い遠景の一つ」である。「秩父はまだ夜／この山塊の地形は／源流に近づけば近づくほど暗さをましていく」。しかし「そのとほうもない古生層の岸辺に／夜明けが来るのはこれからだ」（「秩父の山塊」、『ランプの遠近』）。その希望は、詩人の歩む生への方向に重なってゆく。「あの戦いの中から故郷に帰ってきた／われらの文学の青春も　ここで始まった」（「秋の予感」、『探検』）と秋谷が言う町は、「あの霧と氷の中から帰ってきて／夜半　ぼくは詩を書く」その町であった（「浦和」、『辺境』）。居を据えて武蔵野を見渡したその所で、彼は自分に問う。

氷河や廃墟や物思う時代を歩いてきて
〔…〕
若く輝かしい人間の希望を
どれだけ言葉でひらいてきたか？
いま　武蔵野を吹く新しい風の中に
ぼくは生きるだろう
次のひとつの始まりのために

（「夏野遠くあり」、『時代の明け方』）

ここはわれらの生れた土地
二つの川が都市と平野を湾曲する　現代の武蔵野を
われらは地図を片手に歩いて行かねばならぬ
（「武蔵野の地理」、『日本海』）

どこまでも暗い歴史の中で、秋谷は現代を「薄明りの時」と告げるが（「幼年時代」）、彼の「帰郷」の詩は、乏しくとも暗黒に呑まれることのない光を指し示す。それが「詩人の使命」であると。その姿は比較によってより明確になる。

本章冒頭に萩原朔太郎の詩「帰郷」を引いた。いまひとり、伊東静雄は「永い不在の歳月の後に／私は再び帰つて来た／ちよつとも傷《きず》つけられも／また豊富にもされないで」とイロニーを介して己をシニカルに見つめる一方（「河辺の歌」）、詩「帰郷者」においてこう歌う（『わがひとに與ふる哀歌』）。

美しい故郷は
それが彼らの実に空しい宿題であることを
無数な古来の詩の讃美が証明する
曽てこの自然の中で

それと同じく美しく住民が生きたと
私は信じ得ない
ただ多くの不平と辛苦ののちに
晏如として彼らの皆が
あそ処《こ》で一基の墓となつてゐるのが
私を慰めいくらか幸福にしたのである

郷里に対する心の屈折が、詩人の矜恃と批評精神に置き換えられている。俗世界に抗して詩人は美の維持者として立つ。伊東はこの詩集をまとめた時期、ヘルダーリンの影響を強く受けた。秋谷豊もまた青年時代にヘルダーリンを「息をつめて読みふけった」と語る。等しい経験から異なる立処が帰結した。ヘルダーリンの代表作「帰郷」は、副題をなす「ふるさとびとに」喜びを届けるため、アルプスの高みから降ってゆく。運命に弄ばれる人間の無力と悲哀を認めつつ、希望と真実を指し示したその詩業を、秋谷もまた世界に開かれた眼差しで受け継いでいる。地球の広さを自らの足で確認しつつ、人間の存立の根源への問いと信頼を詩の地平とする。その視座と見据える視野の大きさという点で、ヘルダーリンに並ぶ詩史的位置を秋谷豊に帰すことができる。

一九九〇年代おわりの夏に
ぼくらは西の大陸から帰ってきた
大いなるゴビの砂漠を南下しつつ
真昼の空に北斗星を見つける
あんなにも深々と空にかかる北斗星は
茫漠たる地平線でぼくらと同じ高さになる
おお生きてあれ人間よ　精神よ
文明のアンテナが発信する新しい世紀はすぐそこだ

（「世紀の遠望」、『日本海』）

かつての「ふかぶかと」という言葉がここに再び現れる。それは人間の歩みとその生の深さを、さらに深いところで受け止めている万有の側から、人間に注がれている信頼の光なのである。

＊1　秋谷千春編『選詩集 秋谷豊の武蔵野』（土曜美術社出版販売、二〇一七）。
＊2　本章ではそれぞれの詩集、著書から引用する。

十三、「呼びかけ」に応えて　――詩人　内村鑑三

1. 被造物の声を聴く

詩人の発語に先だって、自然や世界との「二人称」的な出会いがあると述べた。抽象的な論ではなく、具体的に（ドイツ文学と関わりのある）幾人かの詩人において、そのような邂逅の出来事を、また、これに応えて「ことば」が生まれるさまを跡づけてきた。そのような出会いを迎え、世界に耳を澄ます構えについて、いま一つ別な局面から見てみよう。

（1）事物の声

事物について語るのではなく、事物それ自体に語らせる。詩文学におけるそのような志向は、Dinggedichte「事物詩」ないし「物象詩」と呼ばれる。リルケ中期の詩の類型として、『新詩集』（一九〇七／〇八）に収められた「豹」や「子午線の天使」が代表的な作例に

あげられる。リルケについてはすでにたびたび述べてきたが、リルケの事物詩についても一言触れておく。『僧院生活の書』（一八九九）で、「詩のなかの私（修道士）」は、自らを「神」と自身のありかたを「纏め」ようとする「探求者」と語った。神と人とを結ぶ垂直の秩序が曖昧となり失われてゆく近代において、リルケはその宿運を自らも負いつつ、両者の新たな秩序を模索する。しかし、『時禱詩集』や『形象詩集』（一九〇二）に響いていた祈りの声調は次第に失われてゆく。『形象詩集』（すなわち『絵の本』）という表題に形への関心が既に現れているが、パリに出て、ロダンの秘書としてその芸術につぶさに触れ、物の形や様相に着目するようになる。「私は見ることを学んでいる」とマルテにパリ体験を語らせるが（『マルテの手記』）、それは「事物詩」の姿勢にも通じるであろう。事物を見つめ、事物の側から、その形に表れた実相を言葉に止めるのが事物詩の志向ではあるが、やはりそこには、事物に託された形で、むしろ詩人の精神の姿が強く語り出される。例えば作品「豹」は近代の不安の中に眼を見ひらく詩人の存在を映している。神無き時代を生き、これに対処しようとする孤独な精神をそこに読み取ることができる。

事物詩というと、まずリルケが想起されるが、その意匠は遡れば、C・F・マイヤー（一八二五〜一八九八）の「ローマの泉」などに先駆を認めることができるし、降って、フランスではF・ポンジュ（一八九九〜一九八八）の詩集『物の味方』（一九四二）が、文学の人間中心主義から疎外されたものに目を向けたと注目された。日本では、伊東静雄（一九〇六〜一九五三）の詩集『夏花』以降の作品がリルケの影響を思わせる作品を多く含み、丸山薫（一八九九〜一九七四）には、『物象詩集』（一九四二）と題した選詩集もある。「水の精神」や「堡塁」は事物の「かたち」に語らせている。俳句とその季語の伝統に親しんできた日本人にとって、物に寄せて想いを述べることは、むしろ馴染みの世界かも知れない。

（２）被造物の呻き

聖書にも「事物の語り」を告げる章句がある。ローマ人への手紙第八章は「被造物の呻き」を語る。「実に、被造物全体が、今に至るまで、共にうめき共に産みの苦しみを続けていることを、わたしたちは知っている」（八の二二）。現代の自然環境の脅威を考え合わせると示唆に富む箇所である。だが、これは本来、終末を見据える聖書の時間意識において発せられた希望の言葉である。パウロは、被造物が虚無に服していると述べ、その定めは人とともに（すなわち、人の故に）もたらされたものであり、回復の希望も人と共にしているという。「被造物は、実に、切なる思いで神の子たちの出現を待ち望んでいる」（八の一九）。「切なる思い」の語義は「首を長くして」、また「待ち望んでいる」とは「遠く手を差し伸べている」の謂で、視覚的に事物の姿が示されている。しかし、事の実相はその「呻き」にある。それはむしろ聴覚的なイメージ。その「呻き」こそが事物と人の紐帯と言われる。「御霊の最初の実を持っているわたしたち自身も、心の内でうめきながら、子たる身分を授けられること、すなわち、からだのあがなわれることを待ち望んでいる」（八の二三）。さらに、まだ見ないことを「待ち望む」その望みによって救われていると、短い章句の中に「待ち望む」が三回繰り返される。人も事物もこの「呻き」において連帯している。それだけではない。さらに、この連帯を結ぶ存在が示唆される。「わたしたちはどう祈ったらよいかわからないが、御霊みずから、言葉にあらわせない切なるうめきをもって、わたしたちのためにとりなして下さる」（八の二六）。人や事物の呻きの底には、霊の呻きがあると言われる。古代語で、霊と風や息は同一の単語で表されるが、人と事物、両者の内深くに達する仕方で同じ風が吹いており、両者は「祈りの息」を共にしていると言われる。通い合う「呻き」という祈りの形において、事物も人も霊も「言葉」を等しくする。人と被造物を密に結んだパウロの終末論は、世界の言語的なあり方を根拠としている。

（3）著者なる神

世界の言語性、それは創造の起源に由来する。

「詩は人類の母語である。［…］形象にこそ人間の認識と至福のすべての宝は存する。［…］自然の原初の出現とその最初の享受とは、〈光あれ〉の言葉において一つに結ぶ。これにより事物の現存の実感が始まる。／神の形象《かたち》に彼は人を造った。［…］創造主に対する人間のこの類比《アナロギー》は、全ての被造物にその内実と刻印を授け与えるものである。全自然界における至誠と信頼は、この一事にかかっている。この理想、すなわち見えざる神の似姿が我らの心性の内に生き生きと脈づくほどに、我らには、神の慈しみを被造物の内に見、味わい、しかと眺め、手をもて触れることがいっそう可能となる。人間の内に記されている自然のいかなる印象も、〈主は誰であり給うか〉という根本真理を想起させるのみならず、この真理を保証するものである」[*1]。

一八世紀北ドイツの思想家J・G・ハーマン（一七三〇〜一七八八）の初期の代表作『美学の堅果《くるみ》（提要）』（一七六二）からの引用である。ここでは単に自然の認識が説かれているのではない。むしろ、自然との交渉を喜びと述べ、そこに創造の目的が示唆されている。創造とは「祝福」なのである。「それははなはだ良かった」（創世記一の三一）。人間は神が祝福を告げた被造物の直中に、自らもまた嘉せられた存在として立つ。そもそも「光あれ」という最初の言葉自体、世界が闇と混沌の支配する無秩序の中に喪われてしまってはいないことを示している。自然は神の「ことば」であり、人間への「神のへりくだり」を映し出す詩的な原言語として特徴づけられる。自然の事物、その言葉ならぬあり方もまた「ことば」であると。

ハーマンは『美学の堅果』の劈頭、「詩は人類の母語」と記し、原初の著者、神によって被造物の内に刻み込まれた「ことば」を示唆した。しかし、これを顧みない人間の振るまい、とりわけ近代世界における専ら知的な取り扱いによって、自然の「ことば」は損なわれ、辛うじて「呻き」を発するのみ。「責が（我々の内ないし外の）いずれに存するにせよ、自然の内には乱れに乱れた《トゥルバート》詩句、また〈切リ刻マレタ詩人ノ肢体〉の他、何ものも我々の用のために残されていない。それらを拾い集めるのは学者に、それらを解釈するのは哲学者に、それらを模倣するのは――あるいはより大胆に語って――それらを組み上げるのは詩人に、各々委ねられた職分である」。ホラティウスの詩を引用しつつ、ハーマンは近代の自然世界を「切り刻まれたオルペウスの体軀」に準える。近代の自然科学のもとで、人の内外の自然がその知識に隷属するに至る。まさに現代の自然の姿を預言するもの。自然の語り出す「意味」や「目的」は顧みられない。かかる現実認識のもと、ハーマンは喪われた原初のポイエーシス（創造＝詩）を指し示し、神に対する人の最初の応答を回復することが詩人の使命であると説く。

　ハーマンの詩人観はパウロの終末論を踏まえたもので、日本では内村鑑三（一八六一～一九三〇）の思想に通底する。内村は、札幌農学校出身の科学技術者でありつつ、「天然詩人の必要」を説き、自らも「我は詩人たるべし、神学者たらざるべし」と述べている。被造物の呻きに耳を傾けつつ、終末を待ち望んでゆく。そこに彼は詩人の使命を見た。「宇宙の完成を祈る」と結ばれた内村鑑三の辞世には、被造物（天然万物）に対する詩人の言葉のあり方が示唆されている。内村鑑三は世界に、その自然と歴史と社会にどのように向き合い、その声を聴いたのか。

2. 詩人 内村鑑三

掲げた表題には、内村鑑三は詩人か、という問いが予想される。所謂「詩」、行分け詩を、彼は生涯に一七編ほどを記したのみ。そのうち二編を以下に取り上げるが、述べてゆく過程で、問いへの答えは示される。まず初めの一編。

「寡婦の除夜」（署名、内村鑑三 1896.12.25「福音新報」78）*2

月清し、星白し、
霜深し、夜寒し、
家貧し、友尠《すくな》し、
歳尽《つき》て人帰《かへ》らず、
思《おも》ひは走る西の海
涙《なんだ》は凍《こほ》る威《ゐ》海湾《かいわん》、
南の島に船出せし

恋《こひ》しき人の跡《あと》ゆかし

人には春の晴衣、
軍功《いくさいさほ》の祝酒《いわひざけ》
我には仮りの侘住《わびずまひ》
独り手向《たむ》る閼伽《あか》の水

我空《むなし》ふして人は充つ
我衰へて国栄ふ
貞を冥土の夫《つま》に尽し
節を戦後の国に全ふす

月清し、星白し、
霜深し、夜寒し、
家貧し、友尠《すくな》し、
歳尽《つき》て人帰《かへ》らず。

「福音新報」明治二九年一二月二五日の掲載（78＝クリスマス号）。日清戦争（1894―95）勝利の浮かれ気分のなか、顧みられぬ戦争寡婦への同情を吐露する。アジアの公義を立て朝鮮独立を助けると称した戦いも、終わるや否や朝鮮皇后閔妃虐殺（1895.10.8）と、強盗の動機があからさまになった。

先だって内村は「日清戦争の義」（「国民之友」1894.9.3）を公にした（外国人に向けた同趣旨の英文がこれに先だつ「Justification for the Korean War. 1894.8.11」）。また「日清戦争の目的如何」でもこの戦争の正当性を述べていた。『地理学考』（1894、後に『地人論』と改題）において、地球的・世界史的見地から、「日本国の天職」を唱えた内村であったが、既に終局を迎える前から、時局に惑わされ、戦争の実相を見誤った甘さを痛感した。鑑三の降誕節《クリスマス》は、日本の使命への失望と挫折感、義戦を念じた己への慚愧の想いであった。

この詩は内村の転機を記す。この後彼は、日露の戦争を控えて非戦論を展開する（「余が非戦論者となりし由来」1904.9）。また、「満州問題解決の精神」（1903.8）には、当該地に住む者の幸福を第一とすべし、と述べている（これは、後に矢内原忠雄の学問に受け継がれる）。「寡婦の除夜」は著書『小憤慨録 下』（1898.11.1）に再録、刊行されたが、戦争批判の詩として、日露戦争（1904―05）時の与謝野晶子の詩「君死にたまふことなかれ」（1905）に先立っている。

内村は、日露戦争の時にも再び「寡婦の声」と題する断章を公にした（1905.1.20）。「戦争は国家の利益ならん、然れども寡婦も亦国家の一部分なり……寡婦の声は地に於ては聴かれず、然れども天に於ては神を動かすの力を有す……」。これは、社会で最も顧みられねばならないのは、寡婦・孤児・寄留の他国人の三者（経済的基盤のない人々）と述べる旧約聖書（申命記記者）の思想に由来するものである。

内村の批判は、国家形成の根幹を見つめている。「寡婦の除夜」と同年刊行の『時勢の観察』（1896.8）に言う。日本人は理想を語っても行わない、それは、公徳と私徳を使い分ける実益主義だと。翌年、「萬朝報」掲載の「胆汁数滴」（1897.4）では、維新政府の虚偽利欲を糾弾するが、またより大なる問題として福沢諭吉にも批判の目を向ける。「利欲を学理的に伝播せし者は福沢翁なり」と。——殖産興業と和魂洋才、すなわち兵の後について行く財閥の欲得追求を虚偽として批判、さらに、その後ろ楯としての思想、すなわち実学と称して経済合理性のみを追求し、魂の問題は伝統的心性にて足れりとする独善を問題在りとする。内村は、これを建国の精神として民を導くことは国の道を誤るとした。

この頃、内村は「東京独立雑誌」を創刊し（1898.6）、自らの雑誌で社会批判を展開していたが、社会の批判や改革では癒し得ない根本的な問題があるとして、人の魂の改変を志向し、それは「聖書之研究」の刊行（1900.9）へと繋がってゆく。注目すべきは、そうした歩みと併行して、内村鑑三が、文学、殊に詩と詩人の使命に着目し、その主題へと繰り返し立ち返っていることである。

先だって内村は「何故に大文学は出ざる乎」また「如何にして大文学を得ん乎」(1895)と題して、日本の文学的伝統を批判する講演を行っていた(これは正宗白鳥他に深い感銘を与えたという)。そこで内村は、Poetならぬ、ゲーテやシェイクスピアのような、Dichterとしての詩人の出現を日本文学に希求・要請している。

また、訳詩集『愛吟』(1897.7)を刊行し、自ら愛唱する詩を紹介する際に、「詩は何なる乎」と問い、そのモットーに、ホイットマンの言「大なる思想が詩人の天職なり」を引いている。さらに「米国詩人」(1897.7)に続く講演をまとめた詩論集『月曜講演』(1898.3)では「詩人の創造すべきものは思想なり、観念なり」と述べている(「ダンテとゲーテ」)。

この時期、内村は詩に関する評論や断章を次々と記している。表題を挙げれば「文士の境遇」「文学局外観」(1897)、「ユーモルとサタヤ」「古今集擅評」「秋の歌」(1898)、「外国語の研究」「大詩人の心事」「文楽者と文学者」「文士の述懐」「詩人の事業」「如何にして夏を過さん乎」「文と文学者」「余の今年の読書」(1899)、「偉人と読書」「思想と文士と報酬」(1900)「人と天然」(1901)……。関心の在処は明らかである。

「古今集擅評」には、和歌の中にも「造化」を見すえ、その「偉想」を述べたものがある、と例示され、「如何にして夏を過さん乎」には「そこで天然詩人《ネチユアーポエツト》の必要が来るのである、詩人は天然の註解者である、……詩人は科学の正反対どころではなく其結局である」と述べられる。「人と天然」にも、その意味での「天然詩人」が必要と要請される。

また、「歌に就て」（1902）では、「哲学者が大部の書を著はして百年かゝつても為すことの出来ない事を詩人は一篇の歌を作つて一瞬間に為すことが出来る」と詩人の特権が謳われる。なかでも「国歌とは其平民の心を歌ふたものでなくてはならない、国の実は其平民の所有《もの》であつて、貴族の所有ではないから、国の理想は其平民の中《うち》にあつて貴族の中にはない、平民の心を慰め、其望を高うし、之に自尊自重の精神を供する歌が日本国民の今日最も要求する所のものであると思ふ」というくだりは注目される（平民の歌、それは国歌のみならず、内村の求める詩の姿そのものであろう）。

「聖書之研究」（1900―）の内容は、上述のように、日本人の心を真の平和に向けて涵養すべく、聖書の真理を闡明することを第一としたが、一方で時局への対応・批判も怠らないものであった（「鉱毒地巡遊記」1901、「戦争廃止論」1903、後に「世界の平和は如何にして来る乎」1911、「欧州の戦乱と基督教」1914……）。いまひとつ、誌面には「陸中花巻の十二月廿日」（1904、日露戦争時、弟子斎藤宗次郎の徴兵拒否の出来事を機に記されたもの）など、折りにふれて詩も掲載された。自歌や詩の翻訳は頻繁に載っている。

注目すべきは、各号の巻頭につねに「所感」と題して、数編の断章が載せられていることである。自然を詠い思想を述べる巻頭の小編はいずれも、行分けこそしていないが詩と呼びうる豊かな抑揚を湛えている。興の高まりに応じる韻文に発し、それらの断章は散文体の短文を導き、そのまま本編の評論へと展開してゆく趣向である。自然の感興や思想の披瀝、時局批判と、簡勁な文体で述べられる断章群は、ジャンルを云えば、散文詩ないしアフォリズムに相当する。後に『所感十年』(1913)にまとめられ、刊行されるが、それは(広い意味で)詩文集に準えられるであろう。一例を引く。

「秋酣なり」(1908.11.10、「聖書之研究」104「所感」)

コスモス開き、茶梅《さざんか》咲き、木犀匂ひ、菊花薫る、燈前夜静かにして筆勢急なり、知る天啓豊かにして秋酣なるを。

この頃、内村鑑三は『櫟林集 第一輯』を刊行した(1909.1)。「詩人ワルト ホヰットマン」は、その中核を為す一編である。ホイットマンの日本における紹介は、夏目漱石や高山樗牛に始まるが、内村のそれは質的量的に画期的である(岩波全集で30頁に及ぶ)。白樺派や民衆詩派による注目や翻訳刊行はその後のことである(白鳥省吾の翻訳は1919年)。ホイットマンの「目的、国家観、宗教観、人生観……」と、内村は項目を立てて論じていくが、初めに「……彼の預言に就て述べんに(余輩は彼の預言と曰ふて詩想と曰はない、そは彼は詩人であるよりは寧ろ預言者であつたからである)、彼は一つの道徳的目的を以て世に起つた者である、……」と述べるくだりには、彼の詩人観が表明されている。この評論は後に畔上賢造との共著『平民詩人』（1914.4）にも再録される。「平民詩人」、それもまた内村のホイットマン像であった。

「冬休み」と題した次の文章がある（1909.2.10、「聖書之研究」106）。「一月の二十日に約束通りに櫟林集第壱輯を出し、特愛詩人ワルト ホヰットマンを友人に紹介して詩人に対する余の義務の一部分を果たせしやうに感じた、余は実に今より彼のやうなる生涯を送りたく欲《おも》ふ、詩は作れずとも、彼が詩を作りし其精神を以て聖書を研究しやうと欲ふ、彼が自ら余は正統教界の信者に非ずと断言したやうに余も同じ事を断言する。…余も日本国の基督信者に不信者と見られて少しも苦くない、余は彼の持ちしやうなる「善き心」を持ちたく欲ふ、余は彼の持つたる「嘻々的人生観」を余の所有《もの》となしたく欲ふ、余は今より後、ビーチャーやムーデーの迹を逐ふまいと欲ふ、ワルト ホヰットマンの迹を逐ふて、彼のやうに余の救主なるイエスキリストに従ひたく欲ふ」。

また翌月の所感「我の祈願」（1909.3.10、「聖書之研究」107）にこう語る。「我は詩人たるべし、神学者たらざるべし、我は預言者たるべし、祭司たらざるべし、我は労働者たるべし、所謂教役者たらざるべし、我は自由の人たるべし、規則の人たらざるべし、我は自己と自己の衷に宿り給ふ神の外に我が権能を求めざるべし、我は神と共に独り世に立つべし、…我は神の恩恵に由り斯く為し又斯く成らんと欲す」。

さらに、「詩作」と題してこう述べている（1909.9.10、「聖書之研究」112「所感」）。「詩は成る、作るべからず、美《よ》き思想は美き言辞《ことば》と共に臨《きた》る、文を練るを要せず、高く思ひて潔く行へば足る、詩は勇者の事なり、文士の業にあらず、敢為以て何人も詩人たるを得るなり」。

内村鑑三の長男祐司の妻、内村美代子は「内村鑑三思想選書Ⅵ 思索と文学篇」を著した編者の言葉として、「この著者にとつて〈大なる思想が詩人の天職なり〉といふホイットマンの言葉は、自らを励ますための特愛の一句でありました」と述べている。内村鑑三が求めたものは、まず「詩人」であって、詩はその精神から生まれるものとされている。本章の表題に「詩人 内村鑑三」と掲げたのはその謂。今日の詩人たちからは異論もあろうが、詩は人であって、字句や修辞ではない——これは、顧みるに値する言葉であると思う。

内村鑑三の「詩＝詩人」の思想は、『櫟林輯』編輯の特徴にも窺える。ホイットマン論と併せて、「札幌県鮑《あわび》魚蕃殖取調復命書并《ならび》ニ潜水器使用規則見込上申」（旧作1882）と「商売成功の秘訣」（署名：かしはき生、1909.1.25）の二編が加えられた。この併載はいかなる意図からか。内村にとって詩と自然の密なる関係は、上述の「天然詩人」の強調に窺える。その生涯において、札幌やコネチカットの自然風景は重い役割を果たしてきた。また内村にとって詩は、自然科学をも視野に収めるものでなくてはならない。その関心は既に、札幌農学校を卒業し科学技術者を志した頃、「空の鳥、野の百合花」というイエスの（詩的とも言われる）言葉を契機に「唯物的進化論」を論じた講演（1883）にも示されていた。

ではいまひとつ、詩と商売はいかに関わるか。詩と人の生業の関係、その問題は、次に引く詩に関連してくる。

「桶職」（署名：柏木生、1914.4.10「聖書之研究」165）

我は唯桶を作る事を知る、
其他の事を知らない、
政治を知らない宗教を知らない、
唯善き桶を作る事を知る。

我は我桶を売らんとて外に行かない、
人は我桶を買はんとて我許に来る、
我は人の我に就いて知らんことを求めない、
我は唯家にありて強き善き桶を作る。

月は満ちて又虧《か》ける、
歳は去りて又来たる、

世は変り行くも我は変らない、
我は家に在りて善き桶を作る。

我は政治の故を以て人と争はない、
我宗教を人に強ひんと為ない、
我は唯善き強き桶を作りて、
独り立《たち》て甚だ安泰《やすらか》である。

柏木は、内村鑑三が自宅で毎日曜少数の弟子に聖書を講義した処。「聖書之研究」はそこから全国に送られた。
この詩には前書きがある。三浦半島の富士を望む辺りに散策して、桶職のその生業に励む様に接し、「都会人士の益無き野心に駆られて騒然たるに対し、彼の静粛なる勤勉の欽ぶべくありたれば、彼の心を歌はんとて歩を運びながら左の一篇を口ずさびぬ」と。
富国強兵と殖産興業を建国の標語として、略奪的な大陸進出と足尾鉱毒事件が人心を損なっていく時代。内村は別な途を示そうとした。「日本国の天職」を記す際の希望は、己が錯誤によって潰えたが、「天職」の存在自体は疑われない。「天職」を満たすべき人間（精神）が形成されねばならぬ。『後世への最大遺物』（1897）に述べられていた「勇しき高尚なる生涯」の示唆は、今日なお強く訴えるものを持っている。

明治の人として鑑三は強い愛国心を抱いていた。しかしそれは「二つのJ」すなわちJapanとJesus、また「余は日本の為に、日本は世界の為に、而して世界はキリストの為に」という言葉に窺えるように、他を容れない偏狭なものではなく、むしろ自然（国土）愛と社会正義への期待を表明する。

『代表的日本人』（原題 Japan and Japanese, 1894.11.24）において内村は英米人に二宮尊徳を紹介する。「道徳力を経済問題の諸改革に於ける主要な要素とする斯くの如き農村復興計画は、これまで殆ど提案せられたことはない。それは〈信仰〉の経済的適用であった。この人には清教徒《ピューリタン》の血が通つてゐる所があつた。或はむしろ、この人は未だに西洋直輸入の〈最大幸福哲学〉に汚されざる純粋の日本人であつたと言ふべきである」（鈴木俊郎訳）。

内村が「凡ての事に自然の道がある」と尊徳の言葉を引くとき、それは「靖国」に詣でる「日本人の自らなる心」の称揚ではない。彼はその果てに「我国は幾回となく亡ぶることもあらん」とまで語っている。また、生物学者として魚類分類調査に従事した経験から、都市市民のみならず、農民や漁民における道徳の退廃を身にしみて感じていた。

道徳が経済に先立つと述べ、鑑三が尊徳に見込んでいる職業倫理は、むしろ彼がニューイングランドでふれた独立自営手工業者の道徳。信仰者の世俗内禁欲の営みが、逆説的に経済的独立と良心の自由を培い、市民的権利の担い手を育む。ヴェーバー『プロテスタンティズムの倫理と資本主義の精神』に述べられる初期資本主義の消息である（鑑三の社会学方面の知識は乏しかった。その精神はむしろ体得されたものであろう）。宇宙万有（自然）の秩序と社会の中に位置をえた個人が、高い正義感と道徳心をもってその生業（天職）に勤しむとき、政治を知らぬはずなのに、国家の歩みをも変えるに到る。鑑三はそのような職業倫理が日本人の心に接ぎ木されることを信じた。詩「桶職」に鑑三は、福音の接ぎ木さるべき台木として、平民に託しうる可能性を見出した喜びを歌ったのであった。

人格の尊厳、個人の良心の自由、また責任を重んじる資本主義初期の自然科学や経済思想が根付く魂の素地を、日本の伝統的な職業観にも見出すことができる、それは平民の歌としての詩と源を均しくする。それが『櫟林集』に「商売成功の秘訣」もまた収められた理由であろう。

後に内村は、毎年夏、避暑に過ごした軽井沢の定宿、星野旅館のために揮毫して、「成功の秘訣」と題した書を贈った（星野温泉は、近年流行の「星野リゾート」の前身）。

「成功の秘訣」　　　　六十六翁　内村鑑三

一、自己に頼るべし、他人に頼るべからず。
一、本を固うすべし、然らば事業は自づから発展すべし。

一、急ぐべからず、自動車の如きも成るべく徐行すべし。
一、成功本意の米国主義に倣ふべからず、誠実本意の日本主義に則るべし。
一、濫費は罪悪なりと知るべし。
一、能く天の命に聴いて行ふべし。自から己が運命を作らんと欲すべからず。
一、雇人は兄弟と思ふべし、客人は家族として扱ふべし。
一、誠実に由りて得たる信用は最大の財産なりと知るべし。
一、清潔、整頓、堅実を主とすべし。
一、人もし全世界を得るとも其霊魂を失はゞ何の益あらんや。人生の目的は金銭を得るに非ず、品性を完成するにあり。

以上

大正十五（1926）年七月二十八日、星野温泉若主人の為に草す

時代は和魂洋才を掲げて実学のみを学ぶ方向に動いた。本当は、蘭英の略奪貿易、賤民《パーリア》資本主義（M・ヴェーバー）を範として、変質退廃期の資本主義、兵に伴われた経済合理性の精神を学んだのである。明治維新後の政体を薩長の利権拡大の途と看破した鑑三の散文は、そのような内外の洋魂に対する批判に満ちている。国体発揚期の嚆矢にあって彼が斥けられたのは（「教育勅語」事件 1891）、単なる信条の問題では無く、信仰の公的生涯を刻

印する点でまさに象徴的であった。

　内村鑑三の直感的洞察は、弟子矢内原忠雄の時代、無産階級の増大と帝国主義的競争の問題として、その社会科学へと受け継がれる。しかし内村もまた、そのような平民の職業観と結んで国が発展する方向を、「デンマルク国の話」(1911)「拡張の横縦」(1924)などで示唆している。彼の対抗提案は、地球規模の経済活動が進展する今日、国家の枠を越えたＮＰＯの活動や草の根の運動の中になお命脈を保っている。

　先の敗戦は、霧散してしまった後に巧妙に飾られた和魂と虚偽に対する審判として臨んだと、内村ならば語ったことであろう。敗戦後なお日本や世界が何を学びつづけているかも明らかである。経済発展とその破綻、さらには株価操作などに対する騒動、勝ち組の英雄視などなど。近代精神の由来する根源に学ばなければその変態に惑乱されるばかり。内村鑑三の詩と詩人観はそのような射程をもつと言えよう。

＊1　『北方の博士・ハーマン著作選 上下』(川中子義勝編・訳、沖積舎、二〇〇二)。
＊2　以下、年月日など数字の記載が頻繁に出てくるので、見やすさや判別のしやすさを考慮して、この章節のみ年月日や刊号などはアラビア数字で記載する。引用は『内村鑑三全集』全四〇巻(岩波書店、一九八〇〜一九八四)より。

あとがき

本書の前書きで、地域や時代を超えて人々の心の内に共通する現実があるということを述べた。それが詩の源となると。だが、詩が語るのは現実の様相だけではない。世界とその現実との「二人称」的な出会いということについて述べてきたが、それは、本書後半に実例として幾人かの詩人の歩みを辿ったように、世界の「呼びかけ」に対して応答することへと導いてゆくであろう。詩の言葉は、日常の現実を超えた別な現実、この世界の実相を超えた新たな世界の実在を、真実として語り出し、この世界に対置することができる。信仰詩であれば、なおさらそのような「ことば」を自らに期すはずである。信仰と真実はもともと同語 pistis なのであるから。

詩と信仰がともにするもの、それは、現実の認識またこれを超える普遍の認識が、日常の言葉の具体性と深く結びついていることである。詩も信仰も、この世界の現実に直面して、より良い世界、あるべき現実を示唆し、これを言葉の実感によって語り出そうとする。違いは、今日の詩が、信仰の重んじる別世界の実在にさほど拘泥しないことであろうか。いずれにせよ詩の言葉には、新たな世界、より良い現実への希求の眼差しが隠されている。信仰詩ならば、世界の「向こう側から」、あるいは向こう側の実相（真実）を語ろうとする。その際、用いられるのはあくまでこちら側の世界の言葉であるが。

そのような詩の冒険においては想像力の創造性が、現実を超えさせる働きをする。新約聖書に記されたイエスの譬えを例に引こう。例えば、「神の国は盗人のように到来する」など。常軌を逸した「とんでもない」比喩の衝撃が日常の現実を「異化」し、破られた通念の彼方により真実なる世界を予感させる。イエスは詩人であった。詩人はこれを範として良いはずである。

想像力は、日常のイメージから我々を「解放する」力であると先に述べた。詩人は、これによって自らの言葉をその世界に投企し、そこに住む新しい可能性を模索する。日常の世界から一旦は断たれ、なお日常の世界の中に生き生きとした生の可能性を開こうと志す。読者もまた自分の可能性を寄せることのできる世界がそこに築かれていく。

前半に「詩のなかの私」にふれて、その「私」は、「私たち」という社会・世界の共同性に深く根ざしていると述べた。この「私たち」には、この書を前にしている「あなた」も「わたし」も与ることができる。このことを述べて筆を擱くことにしたい。

本書各章の文章を執筆する際には多くの方々のお世話になった。書物にまとめるのは、学生と対面の講義が叶わなくなった事情を契機とするが、出版に関しては、中村不二夫氏、また高木祐子社主のお世話になった。ここに感謝を申し上げたい。

二〇二〇年十月五日

川中子義勝

■初出一覧

一、詩の自覚の歴史 ――四つの文化圏から
「ＥＲＡ」第３次第１号（二〇一三年一〇月）、日本詩人クラブ例会講演（於東京大学駒場キャンパスファカルティハウス・セミナールーム、二〇一三年七月一三日）に加筆。

二、ドイツ・コラールの成立 ――ルターと宗教改革
書き下ろし。

三、ドイツ・コラールの展開 ――ヘールマンとゲルハルト
書き下ろし。

四、自然詩の成立 ――クラウディウスとブロッケス
「ＥＲＡ」第３次第７号（二〇一六年九月）に加筆。

五、山の形而上学 ――リルケとヘルダーリン
旧題「詩に現れた山の形而上学」、「詩と思想」（土曜美術社出版販売、一九九八年八月号）に加筆。

六、神への問い ――ドイツ現代詩を辿って
日本基督教学会関東支部講演、於白百合女子大学（二〇一九年三月一九日）。

七、詩のなかの「私」 ――ベンとエリオット

八、二人称の詩学　――「現代」詩論・想像力について
旧題「抒情詩の中の〈私〉」、「ERA」第3次第3号（二〇一四年一〇月）、日本詩人クラブ例会講演（於東大駒場、二〇一一年七月九日）に加筆。
九、神への問い・再び　――苦の意味を問う
「詩界」263号（日本詩人クラブ編、二〇一六年四月）。
旧題「神への問い」、「詩と思想」二〇二〇年九月号。
十、「問い」と「呼びかけ」――宮沢賢治における
「ERA」第2次第8・9号（二〇一二年4月／10月）、日本詩人クラブ例会講演（於東大駒場、二〇一〇年九月一一日）に加筆。
十一、屹立する詩精神　――伊東静雄とヘルダーリン
「詩と思想」二〇一七年五月号。
十二、屹立から歩行へ　――秋谷豊における「帰郷」
旧題「武蔵野から秩父を仰いで――秋谷豊の『帰郷』の詩」、『秋谷豊の武蔵野』（秋谷千春編、土曜美術社出版販売、二〇一七年一一月）解説を多少改稿。
十三、「呼びかけ」に応えて　――詩人 内村鑑三
「ERA」第3次14・15号（二〇二〇年四月／一〇月）。

著者略歴

川中子義勝（かわなご・よしかつ）

一九五一年　与野市に生まれる
一九九五年　詩集『眩しい光』（沖積舎）
一九九六年　詩絵本『ふゆごもり』（いのちのことば社／二〇〇六年再版）
一九九六年　評伝『ハーマンの思想と生涯　十字架の愛言者』（教文館）
一九九六年　評論『北の博士・ハーマン』（沖積舎）
一九九九年　詩集『ものみな声を』（土曜美術社出版販売）
二〇〇〇年　詩エッセイ集『散策の小径』（日本キリスト教団出版局）
二〇〇二年　詩集『ときの薫りに』（土曜美術社出版販売）
二〇〇二年　譚詩『ミンナと人形遣い』（沖積舎）
二〇〇五年　詩集『遙かな掌《て》の記憶』（土曜美術社出版販売）
二〇〇八年　共編著『詩学入門』（土曜美術社出版販売）
二〇〇九年　編訳『神への問い』（B・ガイェック著、土曜美術社出版販売）
二〇一〇年　評論『詩人イエス―ドイツ文学から見た聖書詩学・序説』（教文館）
二〇一一年　詩集『廻《めぐ》るときを』（土曜美術社出版販売）
二〇一六年　評論『悲哀の人　矢内原忠雄』（かんよう出版）
二〇一六年　詩集『魚の影　鳥の影』（土曜美術社出版販売）
二〇一九年　詩集『新・日本現代詩文庫146　川中子義勝詩集』（土曜美術社出版販売）

所属　「ERA」、「嶺」、「彼方へ」編集同人
住所　〒338―0004　さいたま市中央区本町西二―三―三
http://www17.plala.or.jp/kawanago/

[新]詩論・エッセイ文庫 13

詩《し》学《がく》講《こう》義《ぎ》

——「詩《し》のなかの私《わたし》」から「二人称《ににんしょう》の詩学《しがく》」へ

発　行　二〇二一年二月二十八日　初版発行
二〇二三年七月三十日　第二版発行

著　者　川中子義勝
装　丁　高島鯉水子
発行者　高木祐子
発行所　土曜美術社出版販売
〒162-0813　東京都新宿区東五軒町三—一〇
電　話　〇三—五二二九—〇七三〇
FAX　〇三—五二二九—〇七三二
振　替　〇〇一六〇—九—七五六九〇九

印刷・製本　モリモト印刷
ISBN978-4-8120-2609-0　C0195